BERNHARD SOLLBERGER

Glücklich und erfüllt
in Zeiten von Corona

BERNHARD SOLLBERGER

Glücklich und erfüllt in Zeiten von Corona

Betrachtung eines
weltgeschichtlichen Ereignisses im
Spiegel der Glücksforschung

Schweizer Literaturgesellschaft

Die Deutsche Nationalbibliothek verzeichnet diese Publikation in der Deutschen Nationalbibliografie; detaillierte bibliografische Daten sind im Internet über dnb.dnb.de abrufbar. Die Schweizerische Nationalbibliothek (NB) verzeichnet aufgenommene Bücher unter Helveticat.ch und die Österreichische Nationalbibliothek (ÖNB) unter onb.ac.at.

Unsere Bücher werden in namhaften Bibliotheken aufgenommen, darunter an den Universitätsbibliotheken Harvard, Oxford und Princeton.

Bernhard Sollberger:
Glücklich und erfüllt in Zeiten von Corona
ISBN: 978-3-03883-166-2

Buchsatz: Danny Lee Lewis, Berlin: dannyleelewis@gmail.com

Schweizer Literaturgesellschaft ist ein Imprint der Europäische Verlagsgesellschaften GmbH
Erscheinungsort: Zug
© Copyright 2022
Sie finden uns im Internet unter: www.Literaturgesellschaft.ch

Inhalt

Für meine Eltern.
In tiefer Liebe und Dankbarkeit dafür, dass ihr mir
dieses Leben geschenkt habt.

Hinweis: Aus Gründen der Lesbarkeit wurde im folgenden Text die männliche Form gewählt, nichtsdestoweniger beziehen sich die Angaben auf Angehörige aller Geschlechter.

Vorwort

Die Idee, ein Buch zu schreiben, kam mir bereits vor rund zehn Jahren. Als ich an meiner Doktorarbeit zum Thema Musik und Emotion arbeitete, entdeckte ich ein Feld, das mich bis heute fasziniert: die Glücksforschung – auch Psychologie des Wohlbefindens oder Positive Psychologie genannt. Selbst Gitarrist und Komponist, finde ich es nach wie vor äusserst interessant, auf welche Art und Weise Musik den Menschen emotional zu berühren vermag.

Diese Fragen betreffen jedoch nur einen Aspekt des Lebens, die Musik. Die Glücksforschung hingegen greift in allen Bereichen unseres Lebens. Sie macht deutlich, dass jeder Augenblick unseres Alltags von Bedeutung ist. Alles, was wir morgens, mittags, abends oder wann auch immer tun, wirkt sich auf unser Glücksempfinden aus. Manchmal sind es nur kurze Momente, wenn wir eine köstlich zubereitete Mahlzeit geniessen oder uns eine künstlerische Darbietung beeindruckt. In anderen Fällen wirken sich Ereignisse längerfristig auf unsere Befindlichkeit aus oder prägen gar den weiteren Verlauf unseres Lebens, denken wir beispielsweise an den Antritt einer neuen Stelle oder an die Begegnung mit einem Menschen, der uns ein inniger Freund wird oder ein Lebenspartner.

Der Ausbruch von Corona ist in diesem Zusammenhang ein nicht nur erwähnenswertes, sondern ein sehr aktuelles Beispiel. Unabhängig davon, ob Ereignisse unser Wohlbefinden kurz- oder längerfristig beeinflussen – sie sind für die Glücksforschung von Relevanz. Man könnte auch sagen, dass es sich dabei um eine Wissenschaft handelt, die ausserordentlich nahe am Puls des Lebens angesiedelt ist. Seit ich dem Thema begegnet bin, forsche ich in diesem Bereich und es hat sich ergeben, dass ich entsprechende Inhalte an universitären Institutionen und im Rahmen von Fachreferaten für Unternehmen vermitteln durfte. Jetzt, so denke ich, ist der Zeitpunkt gekommen, um das gesammelte Wissen der letzten fünfzehn Jahre in ein Buch zu fassen.

Man hört immer mal wieder, dass es eine Zeit vor und eine Zeit nach 9/11 gab. Dasselbe könnte man zu Corona sagen. Ebenso wie im Fall der Terroranschläge in den USA wird mit den Entwicklungen rund um den Ausbruch des Virus Weltgeschichte geschrieben. Obwohl wir noch nicht wissen, wie lange dieses Ereignis unser Leben (mit)bestimmen wird, es hatte und hat Folgen.

In diesem Buch geht es nicht darum, die geopolitischen oder wirtschaftlichen Folgen von Corona zu beleuchten. Im Fokus stehen die Psyche des Menschen und die Frage, wie es möglich sein könnte, in Zeiten von Corona sinnerfüllt zu leben und glücklich zu sein, zu bleiben oder zu werden. Uns allen ist klar, dass die Zeit seit dem Frühjahr 2020 an niemandem spurlos vorbeigegangen ist – was uns widerfahren ist, kann als kollektive Krise betrachtet werden. Und doch hat jeder Mensch diese Herausforderung auf seine ganz eigene Art und Weise erlebt. Nun, anders können wir ja auch nicht, denn auch wenn wir uns mit anderen Menschen noch so angeregt darüber austauschen, wie jeder von uns die Welt sieht und sich darin fühlt: Unsere persönliche Erlebenswelt – wie wir Dinge *empfinden* – ist stets nur uns selbst zugänglich. Diese Aussage mag trivial erscheinen, allerdings scheint sie mir äusserst wichtig zu sein. Daher werde ich wiederholt auf den Aspekt der sogenannten interindividuellen Unterschiede zu sprechen kommen, also auf die Verschiedenheit von Menschen in Bezug auf ihr Erleben, Fühlen und Verhalten.

Ich habe mich in den Zeiten von Corona mit zahlreichen Freunden, Bekannten und einigen weniger gut Bekannten über das Virus und seinen Einfluss auf uns Menschen unterhalten. Immer wieder betonte ich, dass das Leiden der Menschen Beachtung finden muss, die in irgendeiner Weise negativ durch Corona betroffen waren oder sind, vor allem gesundheitlich, aber durchaus auch wirtschaftlich. Jedoch, so führte ich jeweils an, erkenne ich in dieser Krise auch ein grosses Potenzial. Sie bietet uns eine Gelegenheit dazu, dass wir uns weiterentwickeln können – als Individuen sowie als Gruppen und Gesellschaften. Bereits kurz nach dem ersten Lockdown sagte ich das nicht einfach unreflektiert so daher. Doch je länger ich beobachte, was seit dem Frühjahr 2020 mit vielen Menschen geschieht und was durch Politik und Leitmedien kommuniziert wird, umso mehr ist mir bewusst, dass nicht nur wissenschaftliche Erkenntnisse zum Virus selbst, sondern auch Befunde aus der Glücksforschung uns helfen zu verstehen, welche Türen durch Corona geöffnet wurden. Nicht zuletzt über diese offenen Türen will ich in diesem Buch schreiben.

Nebst aktuellen Studien zu den Auswirkungen von Corona auf unsere Psyche berichte ich von zentralen Erkenntnissen, die ich im Rahmen meiner Aktivitäten als Glücksforscher durch Recherche und eigene Forschung gewonnen habe. Dieses Wissen will ich in einer möglichst gut verständlichen Art und Weise präsentieren, gleichzeitig aber nicht darauf verzichten, die fundierte Basis dieses Wissens aufzuzeigen und es mit entsprechenden wissenschaftlichen Quellen zu untermauern. Meine Hoffnung ist, dass der Leser meine Ausführungen als hilfreich, unterstützend und inspirierend erachtet, sodass es ihm dazu dienen möge, sein Leben in Zeiten des welthistorischen Ereignisses Corona möglichst glücklich und erfüllt zu gestalten.

1
Einführung in die Glücksforschung

In diesem ersten Kapitel möchte ich den Leser mit einem kurzen Überblick in die Glücksforschung einführen. Dabei gehe ich zunächst auf die Fragen ein, wie der Begriff des Glücks sinnvoll definiert werden kann, was die Glücksforschung genau ist – und was sie *nicht* ist. Dafür ziehe ich theoretische Überlegungen und erste Studien heran, die mir in diesem Kontext besonders relevant erscheinen. Anschliessend werde ich einige Vorurteile thematisieren, mit denen sich ein Glücksforscher des Öfteren konfrontiert sieht. Diese Vorbehalte sowie meine jeweiligen Entgegnungen, helfen dem Leser dabei, so hoffe ich, möglichst tief in das Denken eines Glücksforschers einzutauchen.

1.1 Welches Glück und welche Glücksforschung?

Eine stattliche Anzahl von Denkern und Forschern hat sich in den letzten Jahrtausenden mit der Frage auseinandergesetzt, was Glück eigentlich ist. In dieser langen Zeitspanne kam eine ebenso stattliche Anzahl von möglichen Definitionen zusammen, die sich in der wissenschaftlichen und darüber hinaus auch in der poetischen und spirituellen Literatur finden. Über die Jahre hinweg, in denen ich mich als Wissenschaftler mit der Glücksforschung beschäftigte, waren meine Ansichten bezüglich der Definition des Glücksbegriffs einer gewissen Dynamik unterworfen. Was ich in der Folge herleiten und anbieten möchte, ist eine Definition, wie sie mir heute (und hoffentlich noch eine Weile lang) sinnvoll erscheint. Lassen Sie mich meine Ausführungen mit einer Anekdote beginnen.

Im Frühsommer 2006, als Assistent am Psychologischen Institut der Universität Bern, durfte ich stellvertretend für meinen damaligen Chef und Betreuer meiner Dissertation, Walter Perrig, eine Vorlesung zum Thema »Wohlbefinden, Emotion und Motivation« halten. Ich freute mich sehr auf diese Herausforderung, erschien seriös vorbereitet im Vorlesungssaal und meine zurückblickend, das Ganze gut über die Bühne gebracht zu haben. Obwohl diese Vorlesung fast eineinhalb Jahrzehnte zurückliegt, erinnere ich mich noch sehr genau: Ich war gerade dabei, über Emotionen und Glück zu sprechen, und merkte an, dass es trotz der Fülle an verschiedenen positiven Emotionen, die Menschen erleben können, ein bestimmtes Mass an Leid im Leben gewissermassen gratis dazugebe. Einige der rund 150 anwesenden Studierenden reagierten darauf deutlich vernehmbar mit Unmutsbekundungen.

Zugegebenermassen hatte ich das ein wenig flapsig formuliert, doch meiner Meinung nach war die Aussage korrekt. Ich begründete sie damit, dass es sich im Leben zum Beispiel schwerlich vermeiden liesse, dass nahestehende Menschen sterben, dass sie oder wir selbst schwer erkranken oder verunfallen, dass Paare oder Familien schmerzhafte Trennungen erleben oder dass Menschen geliebte Jobs verlieren. Oder, wie ich seit Kurzem ergänze, dass ein Virus wie Covid-19 ausbricht. Und üblicherweise geschehen solche Dinge ja nicht, weil wir sie herbeiwünschen oder sie gar anstreben. Mir schien, dass die Studierenden diese weiteren Ausführungen gut nachvollziehen konnten.

Vielleicht hatten einige zunächst ungehalten reagiert, weil sie davon ausgegangen waren, dass es sich um einen schlechten Witz meinerseits handle oder dass ich mich mit dieser Aussage über leidende Menschen oder gar das Leben an sich lustig machen wolle. Keinesfalls! Kaum jemand würde gern freiwillig leiden wollen. Die Bemerkung, dass Leiden im Leben dazugehört, hatte ich in dieser Vorlesung indes bewusst platziert, denn ich war zu diesem Zeitpunkt im privaten Rahmen bereits mit dem Vorurteil konfrontiert worden, dass die Glücksforschung einseitig sei und die negativen Aspekte des Lebens ignoriere. Um diesem Vorurteil von vornherein entgegenzutreten, schien es mir wichtig, die jungen Studierenden dafür zu sensibilisieren, dass ein gewissenhafter Glücksforscher genau das eben *nicht* tut. Darauf wird in der Fachliteratur wiederholt hingewiesen. Nicht alle Geschichten, die das Leben schreibt, enden glücklich, und ebenso können gewisse Lebensumstände nur als katastrophal und als nichts anderes bezeichnet werden.[1]

Die Glücksforschung interessiert sich dementsprechend nicht zuletzt für einen Umgang mit problematischen Umständen, der Leiden möglichst vermindert, und für einen vorteilhaften Umgang mit Krisenzeiten, wie es zum Beispiel der Ausbruch von Corona ist. Was die inhaltliche Charakterisierung der Glücksforschung betrifft, so ist es nicht ihr Ziel, vorherrschende Ansätze in der Klinischen Psychologie zu ersetzen, die menschliche Schwächen und Probleme fokussieren. Die Glücksforschung will komplementär zu diesen Ansätzen arbeiten und dadurch ein ganzheitlicheres Bild des menschlichen Erlebens und Funktionierens skizzieren.[2] Ja, Menschen weisen Schwächen auf, aber sie verfügen auch über Potenziale und Stärken. Es gibt einige weitere Vorurteile zur Glücksforschung, die ich später an geeigneter Stelle bespreche.

Wenn es nun aber im Prinzip, wie erwähnt, immer wieder nur eine Frage der Zeit ist, bis Menschen Leid erfahren, ist es dann grundsätzlich überhaupt möglich, ein glückliches Leben zu leben? Die Antwort darauf hängt möglicherweise davon ab, wie der Begriff Glück definiert wird. Der deutsche Philosoph Wilhelm Schmid liefert eine Glücksdefinition, die ich als geeignet beurteile, weil sie einerseits das menschliche Erleben klar beschreibt und andererseits eine praktikable Arbeitsgrundlage bietet. Schmid beschreibt drei verschiedene Formen des Glücks:[3]

Zufallsglück empfinden wir, wenn wir beispielsweise bei einer Verlosung einen Preis gewinnen, über den wir uns freuen, oder knapp einem Unfall entgehen. Dieses Zufallsglück wird in der wissenschaftlichen Fachliteratur wenig diskutiert, wichtiger sind die beiden folgenden Arten.

Eine davon ist das *Wohlfühlglück*. Wir empfinden es, wenn wir uns wohlfühlen – wie der Begriff es sagt. Wir erleben es, wenn wir Spass haben, angenehme Erfahrungen machen, engagiert einer Tätigkeit nachgehen oder Erfolge feiern können. Die gute Nachricht in dem Zusammenhang ist, dass sich für dieses Wohlfühlglück viel tun lässt, weshalb einige Wege zu dieser Glücksform weiter hinten im Buch aufgezeigt werden. Andererseits hält dieses Glück in der Regel nicht lange an: Wenn die Ferien noch so schön waren, irgendwann sind sie vorbei; auch die Freude über einen Erfolg hält nicht ewig an – früher oder später entsteht üblicherweise der Wunsch, neue Herausforderungen in Angriff zu nehmen.[4]

Die dritte Form des Glücks, das *Glück der Fülle*, umfasst zusätzlich zu den zuvor angesprochenen positiven Gefühlen auch die andere Seite, das Unangenehme, Schmerzliche und Negative, oder wie ich es in besagter Vorlesung grob zusammengefasst bezeichnete: das Leid, das sich im Leben eben schwerlich vermeiden lässt. Schmid schlägt vor, diese andere Seite grundsätzlich anzuerkennen. Spricht man ihr das Recht auf Existenz zu, kann man sie möglicherweise mässigen und damit eigenes Leiden mindern. Schmidt argumentiert, dieses Glück der Fülle hinge allein von der *geistigen Haltung* zum Leben ab. Das scheint mir äusserst bemerkenswert! Und passend in Anbetracht des primären Ziels dieses Buches, das auf die Möglichkeiten einer veränderten Perspektive auf das Leben hinweisen möchte und auf das Potenzial, das eine solche veränderte Einstellung hat – speziell in Zeiten von Corona. Wenn ich in der Folge von »Glück« schreibe, klammere ich das Zufallsglück aus und meine stets das *Glück der Fülle*, das wie erwähnt auch das Wohlfühlglück beinhaltet. Was bedeutet Glück der Fülle eigentlich genau?

Ich erinnere mich an eine Phase, in der ich mich fragte, ob sich Menschen, die sich als sehr glücklich einschätzen, stets gut fühlen. Ich selbst war zu dieser Zeit zwar nicht unglücklich, doch zählte ich mich gemäss meiner Selbsteinschätzung auch nicht zu den besonders glücklichen Menschen. Daher konnte ich diese Frage nicht aus eigener Erfahrung beantworten, geschweige denn aufgrund einer untersuchten Stichprobe mit sehr glücklichen Menschen. Ich machte mich auf die Suche nach L iteratur. »Very Happy People« lautete der verheissungsvolle Titel des Fachartikels, der meine Frage beantwortete: Auch sehr glückliche Menschen erleben Tage, die sie als nicht besonders gelungen einschätzen und in denen das Erleben von negativen Emotionen überwiegt. Gut zu wissen – und irgendwie auch beruhigend, dachte ich mir damals. Aus dem Artikel ging zudem hervor, dass sehr glückliche Menschen über mehrere Tage hinweg positive Emotionen dennoch viel häufiger erleben als negative.[5] Im Leben dieser glücklichen Zeitgenossen lassen sich also Gefühle des Ärgers, der Angst, des Frusts oder der Wut nicht gänzlich vermeiden.

Betrachten wir das Verhältnis der positiven zu den negativen Emotionen etwas genauer, so fällt auf, dass es bei sehr glücklichen Menschen mindestens drei zu eins beträgt, wie mathematisch ermittelt werden konnte. Das heisst, auf mindestens drei positiv erlebte Emotionen kommt eine negative. Das reicht nicht nur aus, um sehr glücklich zu sein, sondern macht es möglich, dass Teams am Arbeitsplatz sowie auch Ehen über die Zeit hinweg ausgesprochen gut funktionieren.[6] Über die Jahre hinweg habe ich immer mal wieder Bekannte gefragt, was sie denn denken, wie sich das Verhältnis des Erlebens von positiven zu negativen Emotionen in Ehen gestalten müsste, damit sie glücklich verlaufen. Zumeist lautete die Antwort etwa: »Na ja, wenn das Verhältnis in etwa ausgeglichen ist, läuft es wohl nicht schlecht.« Interessanterweise stimmt das nicht. Das liegt nicht zuletzt an der sogenannten *Negativitätsverzerrung*, die dazu führt, dass Negatives einen viel gewichtigeren Einfluss auf unser Befinden ausübt als Positives: Negatives wird stärker wahrgenommen. Man denke dabei zum Beispiel an den mahnenden Blick des Hausarztes und die dadurch ausgelösten unter Umständen recht unangenehmen Gefühle. Diese Verzerrung hat ihren Ursprung in der Evolution und rührt daher, dass das schnelle

Registrieren von gefährlichen Umständen im Extremfall lebensrettend sein oder dass dadurch möglichen grösseren Problemen entgegengewirkt werden kann.[7]

Über die Negativitätsverzerrung Bescheid zu wissen, ist äusserst wertvoll. Da wird uns einerseits klar, dass negative Emotionen uns nicht nur helfen, Probleme und Herausforderungen zu erkennen, und somit auf eine gewisse Art und Weise nützlich sind – sofern sie nicht über längere Zeit hinweg auftreten und von hoher Intensität sind. Andererseits liegt das vermeintliche Missverhältnis in der Gewichtung von negativen gegenüber positiven Emotionen offenbar in unserer Natur. Das bedeutet, dass wir in Akzeptanz dieses Umstandes dennoch das Glück der Fülle erleben können, auch wenn uns an manchen Tagen kein oder nur wenig Wohlfühlglück beschieden ist.

Meine Musikerkollegen erwähnten oft, sie hätten die meisten ihrer besten Stücke geschrieben, als es ihnen nicht besonders gut ging. Ich selbst habe mir als Komponist mittlerweile wohl einfach angewöhnt, zwischendurch auch die schöneren Seiten des Lebens zu besingen. Allerdings kann ich bestätigen, dass die Gefühle, die dem kreativen Prozess zugrunde liegen, in letzterem Fall in weniger starker Intensität aus mir »rausmussten«, als wenn ich mich mit den Schattenseiten des Lebens konfrontiert sah. Natürlich können nicht nur Künstler bestätigen, dass sich negative Emotionen im Leben manchmal schwerlich vermeiden lassen. Die Tatsache, dass ihre Unterdrückung die körperliche Gesundheit beeinträchtigen kann, verdeutlicht, dass negative Emotionen wichtig sind und ernst genommen werden sollten.[8]

Aber wie weiter oben erläutert, gibt es – und das im wahrsten Sinne des Wortes – ein gesundes und ein ungesundes Mass an negativen Emotionen. So macht es beispielsweise einen Unterschied, ob jemand betrübt und empathisch auf die Nachricht reagiert, dass eine gute Freundin den tollen Job nicht bekommen hat, oder aber ob er mit Missgunst auf den Erfolg eines Bekannten blickt. Aber aufgepasst, auch positive Emotionen verfügen über das Potenzial, der Gesundheit zu schaden, nämlich dann, wenn sie nicht authentisch sind, sondern unaufrichtig zum Ausdruck gebracht werden und nicht dem tatsächlichen Empfinden entsprechen.[9, 10] Deshalb wird in der Glücksforschung stets darauf hingewiesen, dass wahres Glücklichsein sehr viel mit Authentizität zu tun hat. Genau dieser Umstand dürfte Martin Seligman, Begründer der Positiven Psychologie, dazu bewogen haben, sein 2004 erschienenes Buch mit »Authentisches Glücklichsein« zu betiteln.[11]

Bereits bevor ich mich der Glücksforschung widmete, hatte ich mich intensiv mit der Emotionspsychologie beschäftigt. Mir schien es aus diesem Grund sinnvoll, im Rahmen der Auseinandersetzung mit der Glücksforschung die Wurzeln des Erlebens von glücklicheren und weniger glücklichen Menschen zu analysieren, sprich die Qualität, Häufigkeit und Intensität von Emotionen. Einige Studien mit einem solchen Ansatz habe ich bereits vorgestellt. Zum Abschluss dieses Kapitels sei aber darauf

hingewiesen, dass sich in der Fachliteratur zur Glücksforschung nicht nur Quellen finden, die das emotio-
nale Erleben oder Empfinden von Glück im Sinne von
»Happiness« erfassen. Zahlreiche Studien untersuchen
beispielsweise das *subjektive Wohlbefinden*, die *Lebenszufriedenheit* oder die *psychische Gesundheit*. Das Themen-
feld, das hier entsteht, ist äusserst breit und auf den ersten
Blick schwer fassbar. Die gute Nachricht ist jedoch, dass
diese Konzepte stark mit dem Glücklichsein und auch
untereinander verknüpft sind. Das heisst, wer glücklich
ist, erlebt nicht nur viel mehr positive als negative Emotionen, wie bereits ausgeführt, sondern verfügt in der
Regel gleichzeitig über ein hohes subjektives Wohlbefinden, berichtet über eine hohe Lebenszufriedenheit und ist
psychisch gesund.[12, 13] Umgekehrt ist mit hoher Wahrscheinlichkeit derjenige nicht glücklich, der zum Beispiel
eine Depression durchmacht oder unter starkem Stress
leidet.[14, 15, 16] Behalten Sie diesen Hinweis im Hinterkopf, wenn ich in der Folge über Studien berichte, die das
subjektive Wohlbefinden oder die psychische Gesundheit
erfassen. Das alles hängt zusammen. Schliesslich ist im
Titel dieses Buches ja »glücklich« vermerkt.

1.2   Aufräumen mit Vorurteilen

Die Glücksforschung beschäftigt sich mit den Fragen,
was Menschen glücklich macht, was sie nicht glücklich macht und welche Wege zu einem glücklichen und
erfüllten Leben führen können. So weit, so gut. Doch

wird man als Glücksforscher durchaus auch mit Vorurteilen konfrontiert. Eines davon – die Glücksforschung beschäftige sich nur mit Positivem und lasse das Negative aussen vor – habe ich vorhin aus dem Weg geräumt, wie ich hoffe: Die Glücksforschung versteht sich als Ergänzung. Generell erlebe ich nur selten, dass Vorbehalte zu diesem Forschungsbereich geäussert werden. Wenn sie vorgebracht werden, führen sie in der Regel allerdings zu angeregten Diskussionen. In Fachreferaten lenkt das vom Inhalt ab, der eigentlich transportiert werden soll. Mittlerweile stelle ich deshalb mögliche Überlegungen bereits an den Anfang. Ich weise darauf hin, was für Argumente der Glücksforschung entgegengehalten werden und wie man sie in einen grösseren Rahmen einordnen und somit zumeist entkräften kann. Fahren wir fort mit der entsprechenden Auflistung der möglichen Vorurteile, denn möglicherweise könnte ja auch der geneigte Leser zu den »Glücksforschungs-Skeptikern« gehören.

Ein zweites Vorurteil lautet, dass Glücklichsein ein oberflächlicher und damit ein nicht anstrebenswerter Zustand sei – womit die Glücksforschung grundsätzlich infrage gestellt werden könnte. Die Beatles sangen Ende der 60er-Jahre »Happiness is a warm gun«. Sie lieferten damit eine treffende Beschreibung für ebendiese Bedenken: Glück sei eine Waffe, die bei jedem Schuss – bei jedem erlebten Glücksgefühl – warm werde und dann schnell wieder erkalte. Nun, das stimmt. Gewisse Glückszustände sind von eher kurzer Dauer, wie bereits im Vorwort erwähnt. Andererseits scheint es mir aber wichtig, hinsichtlich der Frage des Wertes von Glück zwischen dem Weg und dem Ziel zu unterscheiden. Zwei Koryphäen der Glücksforschung, Martin Seligman und Christopher Peterson, der 2012 leider verstorben ist, unterscheiden als Wege zum Glück *Genussfähigkeit*, *Engagement* und das *Erkennen von Sinn*.[1]

Betrachten wir Erstere, die *Genussfähigkeit*, so mag das Argument der Oberflächlichkeit in den Augen einiger Kritiker womöglich tatsächlich greifen. Entspricht es wirklich einer Kunst oder gar einer Lebenskunst, einen edlen Tropfen oder den Blick auf ein stahlblaues Meer geniessen zu können? Wenn es hingegen um die beiden anderen Wege geht, nämlich um die Fähigkeit, Dinge im Leben auf eine engagierte Art und Weise anzugehen, und die Fähigkeit, Sinn in dem zu erkennen, was man tut, so wird es deutlicher, dass der Weg zum Glück und das Ziel des Glücks nicht dasselbe sind.

In meinen Glücksreferaten präsentiere ich zur Illustration von *Engagement* gern zwei Bilder des Schweizer Fahrradprofis Fabian Cancellara. Auf einem Bild sieht man den Spitzensportler unterwegs auf seinem Fahrrad, mit einem verbissenen Gesichtsausdruck, der ein gewisses Mass an Leiden erahnen lässt. Niemand würde auf die Idee kommen, hier den Zustand von Cancellara als glücklich einzuschätzen. Eindeutig glücklich wirkt der Fahrradprofi dann auf dem zweiten Bild: Nach getaner Arbeit, auf dem Siegerpodest, erschöpft, aber lächelnd und stolz präsentiert er seine Goldmedaille. Glück kann demnach als Zustand betrachtet werden, der sich häufig einstellt, wenn Menschen sich in besonderer Weise engagiert haben. Nicht zuletzt besonders dann, wenn sie wie Cancellara dafür zu leiden bereit waren. Glück kann demnach durchaus das Ergebnis von Blut und Tränen sein – ganz wörtlich gemeint.

Auch das *Erkennen von Sinn* in dem, was man tut, bezeichnet etwas anderes als das, was man dadurch erreichen kann. Dementsprechend stehen sowohl Engagement als auch die Fähigkeit, im eigenen Tun einen Sinn zu sehen, in einem stärkeren positiven Zusammenhang mit der Lebenszufriedenheit als die Fähigkeit, Dinge zu geniessen.[2] Es könnte gewissermassen als fair betrachtet werden, dass Genussfähigkeit quasi weniger nachhaltig zu Glück führt. Schliesslich ist es doch mit viel weniger Aufwand verbunden, Dinge geniessen zu können, als sich im Rahmen intimer sozialer Beziehungen oder der Erwerbstätigkeit nachgehend zu engagieren. Auf einer im Grunde genommen bemerkenswert abstrakten psychischen Ebene tieferen Sinn zu erkennen, beispielsweise in den vorangehend erwähnten Bereichen oder gar in seiner Existenz an sich, greift ebenfalls tiefer als Genuss. Genussfähigkeit weist übrigens interessanterweise eine starke vererbte Komponente auf.[3]

Auch wenn wir akzeptieren, dass echtes Glück in vielen Fällen kein oberflächlicher Zustand ist, so kann dennoch infrage gestellt werden, ob bei der Glücksforschung überhaupt von einer Wissenschaft gesprochen werden kann. Ist das Empfinden von Glück nicht etwas viel zu Subjektives, als dass wir es messen könnten? Fällt die Glücksforschung damit in den Bereich der Pseudo-wissenschaften und der Esoterik? Was kann hierzu entgegnet werden? Zunächst ist Glück per Definition etwas, das von einer Person subjektiv *empfunden* wird. Wollen wir in Erfahrung bringen, wie glücklich – oder zufrieden mit seinem Leben – jemand ist, so müssen wir diese Person danach fragen. Darauf haben nicht nur Glücksforscher hingewiesen, sondern auch der 14. Dalai-Lama, der diesbezüglich seit Langem in engem Kontakt mit verschiedenen Wissenschaftlern steht.[4]

Um einzuschätzen, als wie glücklich sich jemand empfindet, wurde eine Reihe wissenschaftlich validierter Fragebogen entwickelt.[5] »Validiert« meint, dass überprüft wurde, ob ein Befragungsinstrument tatsächlich das misst, was es zu messen beabsichtigt. Bezogen auf unser Thema messen die Fragebogen das subjektive Glücksempfinden. Mehrere Studien zeigen, dass dieses Empfinden mit objektiven Massen im Zusammenhang steht, wie zum Beispiel elektrischen Hirnaktivitätsmustern oder dem Stresshormon Cortisol. Glücklichere Menschen haben weniger Cortisol im Blut als weniger glückliche und weisen eine höhere Aktivität im linken präfrontalen Gehirnlappen auf, der relevant ist für das Anstreben von positiv bewerteten Zuständen.[6, 7] Heisst also: Subjektive und damit prinzipiell fehleranfällige Berichte über das eigene Erleben stehen in einem Zusammenhang mit objektiven Massen. Und Letztere werden nicht durch subjektive Bewertungsprozesse verzerrt, da sie den Filter der subjektiven Wahrnehmung umgehen und von geeigneten Messapparaturen objektiv erfasst werden. Weiter stimmt die Selbsteinschätzung des Glückserlebens einer Person stark mit dem überein, wie Freunde oder Ehepartner das Glückserleben dieser Person einschätzen.[8] Das persönliche Glück oder Unglück strahlt also aus und Aussenstehende können in der Regel recht gut erkennen, wie glücklich jemand ist. Unabhängig davon, ob man das eigene Glückserleben oder dasjenige anderer nahestehender Menschen beurteilt, eine Einschätzung des Glücklichseins ist demnach viel mehr als bloss ein Ratespiel.

Wer kommt überhaupt auf die Idee, Glück zu erforschen? Handelt es sich hierbei nicht um eine Disziplin, die ein ödes Schattendasein fristet und keinen Wissenschaftler so richtig interessieren will? Im Gegenteil. Bereits der bekannte Philosoph Aristoteles war im Prinzip Glücksforscher. Ihm standen während seiner Schaffenszeit vor mehr als zwei Jahrtausenden zwar noch nicht die validierten Fragebogen und hochentwickelten Gerätschaften zur Verfügung, die Hirnaktivierungsmuster oder den Hormongehalt in Organismen messen. Unbestritten war Aristoteles aber ein ausserordentlich kluger Mann, und er erkannte ebenso wie sein Lehrer Platon und spätere Philosophen die Wichtigkeit des Glücks für den Menschen. Aristoteles betrachtete Glück als das höchste von all den Gütern, die man durch sein Handeln erreichen kann.[9]

Auch eine lange Zeit nach Aristoteles stellen wir fest, dass es viel beachtete Glücksforscher gibt. Der israelisch-

US-amerikanische Psychologe Daniel Kahneman zum Beispiel erforschte unter anderem die Fehler, die Menschen beim Prognostizieren ihres zukünftigen Glücksempfindens unterlaufen können. Er stellte fest, dass einige ökonomische Theorien einer empirischen Überprüfung nicht standhalten, was immer mehr Ökonomen in der jüngeren Vergangenheit ebenfalls erkannten. In zahlreichen Studien wurde zum Beispiel gezeigt, dass zwischen dem Einkommen und dem Glücksempfinden kein linearer Zusammenhang besteht. Das heisst, man wird nicht umso glücklicher, je mehr Geld man verdient. Das mag für Sie logisch erscheinen und Ihrer Erfahrung entsprechen, allerdings widerspricht das den klassischen ökonomischen Theorien, die davon ausgingen, dass mehr Geld mehr Möglichkeiten zur Gestaltung des eigenen Lebens bedeutet und damit mehr Glück.[10] In den Wirtschaftswissenschaften begann man vor einiger Zeit damit, anhand von konkreten Untersuchungen mit Menschen Hypothesen zu überprüfen, die lange nicht getestet wurden. Kahneman erhielt daher für seine Forschung im Jahre 2002 den Nobelpreis für Wirtschaftswissenschaften. Die Glücksforschung war demnach nicht nur zur Zeit der grossen griechischen Philosophen von Belang, sondern ist es bis zum heutigen Tag geblieben.

Glück wäre dennoch nicht wichtig, hätte es nur eine Bedeutung für die Wissenschaft. Es ist natürlich aber auch den Menschen wirklich wichtig. In einer gross angelegten kulturübergreifenden Studie, durchgeführt in 47 Ländern, wurde das Erreichen von Glück von den

Befragten als wichtigeres Ziel eingeschätzt als alle anderen vorgegebenen persönlichen Werte wie zum Beispiel Liebe, Gesundheit oder Reichtum. Mehr als die Hälfte der Probanden schrieben dem Erreichen von Glück auf der entsprechenden Skala die maximale Wichtigkeit zu. Demgegenüber berichteten nur drei Prozent der Stichprobe, dass sie Glück als überhaupt nicht wichtig einschätzen.[11] Sollten Sie dieses Buch also in Ihren Händen halten, obwohl Ihnen Glücklichsein überhaupt nicht wichtig ist, würden Sie einer äusserst kleinen Minderheit angehören – diese Wahrscheinlichkeit dürfte verschwindend klein sein.

Glück ist den meisten Menschen wohl nicht nur deshalb wichtig, weil es sich gut anfühlt, sondern weil es mit einer Vielzahl von positiven Folgen in Zusammenhang steht. Ein amerikanisches Forscherteam analysierte eine Vielzahl von Studien und stellte Folgendes fest: Glücklichere Menschen verfügen im Vergleich zu weniger glücklichen über eine bessere psychische Gesundheit, über eine bessere körperliche Gesundheit und sie leben länger. Sie sind resistenter gegen Stress, am Arbeitsplatz produktiver und überdies erfolgreicher, hilfsbereiter, geselliger und kreativer als weniger glückliche.[12] Aufgrund dieser Befunde könnte man Glück als einen Zustand auffassen, der gute Prognosen hinsichtlich der Entwicklung der psychischen und körperlichen Gesundheit von Menschen erlaubt. Aber Achtung, Sie wissen ja bereits, dass das nicht bedeutet, dass glückliche Menschen frei von negativen Emotionen sind oder frei von

Situationen, in denen sie leiden. Und finden Sie es nicht auch bemerkenswert, dass vom Glück glücklicher Menschen nicht nur sie selbst profitieren, sondern auch ihr soziales Umfeld? Die erwähnten Befunde weisen darauf hin. Man denke in dem Zusammenhang an die vorgängig erwähnte Hilfsbereitschaft oder die Produktivität am Arbeitsplatz.

In der Hoffnung, Sie davon überzeugt zu haben, dass die Glücksforschung fundiert, sinnvoll und wichtig ist, wenden wir uns den hauptsächlichen Faktoren zu, die das Glücklichsein beeinflussen. Gut möglich, dass entsprechende Befunde die eine oder andere Überraschung für Sie bereithalten.

1.3   Was beeinflusst unser Glücklichsein?

Betreffend die Frage, was das Glücklichsein von Menschen beeinflusst, wurden über die letzten Jahrzehnte hinweg zahlreiche Studien durchgeführt und Bücher geschrieben. In diesem Kapitel will ich einen Überblick über die zentralen Faktoren geben, die diesbezüglich von Bedeutung sind. Ich beziehe mich dabei auf das Modell der amerikanischen Glücksforscherin Sonja Lyubomirsky, da es mir auch für Laien gut nachvollziehbar zu sein scheint.[1] Zudem, und das ist natürlich der Hauptpunkt, wird das Modell durch eine beträchtliche Anzahl von Studien gestützt.

Beginnen wir mit einem Gedankenexperiment, um uns dem Ansatz von Lyubomirsky anzunähern: Stellen

Sie sich vor, Sie wären Glücksforscher und Ihnen würden die E-Mail-Adressen von 200 Personen vorliegen, die in der Schweiz leben – diese Anzahl repräsentiert statistisch gesehen die Gesamtbevölkerung. Sie könnten diesen Menschen schreiben und ihnen einen Link zu einer Internetseite zukommen lassen, auf der mithilfe eines validierten Fragebogens ermittelt werden könnte, wie glücklich diese Menschen sind. Alle Personen würden den Fragebogen ausfüllen. Würden Sie davon ausgehen, dass alle Befragten genau das gleiche Mass an Glücklichsein berichten? Wohl kaum. Die Mehrheit dieser Menschen würde wohl berichten, ziemlich glücklich oder glücklich zu sein. Andere würden jedoch angeben, dass sie überhaupt nicht oder nur wenig glücklich sind, und einige würden zu Protokoll geben, sehr glücklich zu sein. Daraus ergibt sich die Frage, wieso es diese Unterschiede gibt. Wieso berichtet Frau Müller, sehr glücklich zu sein, Herr Meier demgegenüber gibt an, dass er nur wenig glücklich ist? Welche Faktoren könnten erklären, wie es zu diesen Unterschieden kommt? Hier setzt das Modell von Lyubomirsky an. Basierend auf vielen Studien, die die Autorin gesichtet und analysiert hat, kommt sie zum Schluss, dass es drei Faktoren gibt, die für unser Glücksempfinden relevant sind: erstens *genetische Einflüsse*, zweitens *objektive Lebensumstände* und drittens sogenannte *willentliche Aktivitäten*. Letztgenannte umfassen eine breite Palette von Dingen, die *wir in unserem Leben denken, fühlen und tun können*. Bevor ich auf

31

diese Aktivitäten zu sprechen komme, schauen wir uns zunächst die beiden anderen Faktoren an.

Nicht nur das subjektive Glücksempfinden, sondern sogar ob jemand beispielsweise gerne Jazzmusik hört oder scharfes Essen mag, wird durch genetische Einflüsse mitbestimmt.[2] Entsprechende Befunde stammen aus der Zwillingsforschung, die zum Beispiel untersucht, wie ähnlich sich eineiige Zwillinge im Vergleich zu zweieiigen sind. Zweieiige Zwillinge sind aus zwei Eizellen entstanden, eineiige Zwillinge aber nur aus einer – Letztere sind deshalb genetisch identisch und weisen beispielsweise stets dasselbe Geschlecht auf. Zweieiige Zwillinge teilen in der Regel aber nur 50 Prozent ihres Erbgutes. Studien zeigten, dass nun eben nicht nur die Vorliebe für Jazzmusik oder scharfes Essen, sondern auch das Glücklichsein bei eineiigen Zwillingen viel ähnlicher ist als bei zweieiigen. Lyubomirsky schätzt den *genetischen Einfluss* auf circa 50 Prozent.[3] Das ist der Anteil der Unterschiede hinsichtlich des Glücklichseins zwischen Menschen, der auf Vererbung zurückgeführt werden kann. In Referaten betont sie immer wieder, dass es sich dabei nicht um eine genaue Zahl, sondern um eine grobe Schätzung handelt, die der gedanklichen Einordnung der Thematik dienen soll. Das heisst also, rund die Hälfte der Unterschiede hinsichtlich des Glücksempfindens, die Sie in Ihrer Befragung feststellen würden, könnte auf genetische Einflüsse zurückgeführt werden.

Auf die beiden Persönlichkeitsmerkmale Extraversion und insbesondere Neurotizismus (psychische Labilität) werde ich im nächsten Kapitel zu sprechen kommen. An dieser Stelle sei nur kurz erwähnt, dass diese Persönlichkeitsmerkmale bei der Verarbeitung von potenziell emotionalisierenden Umständen von hoher Bedeutung sind, und zwar abhängig davon, ob die Emotionen in eine positive oder negative Richtung gehen. Der Ausbruch von Corona ist beispielsweise ein solcher Umstand, der das Potenzial aufweist, Emotionen hervorzurufen – vornehmlich in negativer Weise –, und der verarbeitet werden muss. Extraversion und Neurotizismus verfügen ebenfalls über eine genetische Basis.[4]

Was genetische Einflüsse auf unser Glücksempfinden betrifft, gibt es also in der Tat so etwas wie die Frohnatur oder aber denjenigen, der im Fall von Stress eher aus der Balance gerät als andere. Der amerikanische Psychologe und Glücksforscher Jonathan Haidt ging diesbezüglich so weit, von einer gehirnbezogenen Lotterie zu schreiben, die einige Menschen glücklicher werden lasse als andere.[5] Immerhin gibt es auch zu berichten, dass genetische Faktoren den einzelnen Menschen nicht auf einen genauen und unveränderbaren Punkt auf der Glücksskala festbinden. Vielmehr können Menschen durch willentliche Aktivitäten den genetischen Gegebenheiten entgegenwirken, die für Glück eher ungünstig sind. Und handkehrum wirkt sich das dann wiederum direkt auf genbezogene Aktivitäten aus.[6] Bevor ich auf das eingehe, was man aktiv durch seinen Willen für das eigene Glück erreichen kann, wenden wir uns dem zweiten Faktor des Glücksmodells von Lyubomirsky zu.

Objektive Lebensumstände umfassen eine breite Palette von Dingen, wie zum Beispiel Alter, Geschlecht, Ethnizität, Wohnort oder Einkommen. Auch die persönliche Geschichte eines Menschen gehört dazu, die so unterschiedliche Dinge umfassen kann wie das Absolvieren eines bestimmten Ausbildungswegs, eine Heirat, die Geburt von Kindern oder einen schlimmen Autounfall. Objektive Lebensumstände üben einen Einfluss auf das Glücklichsein aus. So sind zum Beispiel Verheiratete glücklicher als Alleinstehende, Geschiedene oder Verwitwete. Ebenso berichten stark religiöse Menschen über mehr Glück als weniger gläubige. Jedoch, und das mag überraschen, erklären objektive Lebensumstände gemäss vielen Studien nur rund 10 Prozent der glücksbezogenen Unterschiede zwischen Menschen. Wieso? Es heisst, »der Mensch ist ein Gewohnheitstier«, und die Befunde aus der Glücksforschung bestätigen das. Gerade an eigentlich positiv bewertete Lebensumstände können wir uns schnell gewöhnen. In dem Zusammenhang wird in der Glücksforschung oft von der sogenannten »Tretmühle des Glücks« gesprochen: Verändern sich unsere Lebensumstände in eine positive Richtung, ist es oft nur eine Frage der Zeit, bis wir nach anfänglichem Anstieg auf der Glücksskala wieder zum ursprünglichen Wert unseres Glücksempfindens zurückkehren. Das wurde unter anderem Ende der Siebzigerjahre in einer klassischen Studie mit Lottogewinnern festgestellt.[7]

Ein fiktives Beispiel zur Veranschaulichung, dass objektive Lebensumstände nur einen geringen Anteil an unserem Glück haben: Nehmen wir an, eine bestimmte Person ist jung und sportlich, von der körperlichen Erscheinung her attraktiv und hat überdies einen hohen Intelligenzquotienten. Sie verfügt zudem über ein hohes Einkommen und lebt in einem Land, das von politischen Unruhen oder gar Kriegen verschont ist. Einerseits mag das auf den ersten Blick sehr günstig klingen, doch andererseits umfassen die genannten Lebensumstände dieses Menschen allesamt Dinge, an die er sich gewöhnen konnte. Lebensumstände sind dementsprechend einfach so, wie sie halt eben sind. Sie enthalten keine dynamische Komponente, sondern sind vielmehr statischer Natur. Vielleicht sind Sie mit diesen Erläuterungen noch nicht ganz zufrieden? Ja, im Glücksmodell von Lyubomirsky gibt es noch Luft nach oben. Gehen wir weiter zum dritten relevanten Faktor für Glück.

Nehmen wir an, die vorhin beschriebene Person wird von ihrer Umgebung wegen ihrer Attraktivität, ihrer Intelligenz und ihres hohen Verdienstes bewundert. Nehmen wir zusätzlich an, dass sie eitel und undankbar ist, sich nicht wirklich mit ihrer Arbeit identifizieren kann und zudem findet, dass diese eigentlich noch um einiges besser entlohnt werden müsste. Um körperlich fit und attraktiv zu bleiben, fühlt sich diese Person ausserdem dazu gezwungen, häufig Sport zu treiben. Viel Bewegung machte ihr früher Spass, aber heute ist das nicht mehr der Fall. Diese Beschreibungen enthalten Denkmuster und Gefühle zu bestimmten Dingen sowie die Gründe für das Handeln der Person in Bezug auf ihre Arbeit und ihre sportliche Aktivität – so, wie die Gründe für ihr Handeln von ihr wahrgenommen werden.

Diese Beschreibungen beziehen sich allesamt auf den dritten und letzten glücksrelevanten Faktor: *willentliche Aktivitäten*. Das vorige Beispiel inklusive Beschreibung der Denkmuster, Gefühle und wahrgenommenen Gründe für das Handeln dürfte Sie nun zu der Einschätzung bringen, dass die Person wohl doch nicht so glücklich ist, wie Sie vielleicht dachten, als Sie die Beschreibung ihrer objektiven Lebensumstände gelesen haben. Willentliche Aktivitäten bedürfen zwar nicht selten einer gewissen Anstrengung und Disziplin – denken Sie zum Beispiel an Joggen spät am Abend nach einem langen Arbeitstag. Allerdings kann der glücksrelevante Lohn dafür erheblich sein: Gemäss Lyubomirskys Modell erklären die willentlichen Aktivitäten die verbleibenden ca. 40 Prozent der glücksbezogenen Unterschiede zwischen Menschen. Lyubomirsky erklärt das damit, dass man durch solche Aktivitäten gerade auch den vorhin erwähnten Gewöhnungseffekten entgegenwirken kann, die dem Glück im Wege stehen. Ob ich die neu gekaufte Gitarre bereits nach wenigen Tagen an die Wand hänge und mich dann nur noch gelegentlich an ihrem Anblick erfreue oder ob ich mich aktiv mit den Eigenheiten des Instrumentes auseinandersetze und mich gegebenenfalls sogar beim Schreiben von neuer Musik durch sie inspirieren lasse, macht einen riesengrossen Unterschied aus. An der Wand hängen kann die Gitarre ohne mein Zutun, bespielt werden jedoch nicht.

In diesem Kontext scheint mir die Aussage von Aristoteles äusserst treffend, dass Glück die Folge des *Tätigseins* der Seele sei.[8] Für das Glück spielt es also weniger eine Rolle, was objektiv betrachtet da *ist* – hingegen ist es entscheidend, was die Seele *tut*. Auch was sie mit dem tut oder macht, was da ist. Es geht also um die Unterscheidung zwischen objektiven Begebenheiten einerseits und der subjektiven Bewertung ebendieser Begebenheiten andererseits.

Unternehmen wir einen kurzen Exkurs in die Bewertungstheorien von Emotionen, um diesen Unterschied zu illustrieren, der für die Glücksforschung so wichtig ist. Der einflussreiche Emotionspsychologe Richard Lazarus wies ebenso wie andere Bewertungstheoretiker darauf hin, dass es schliesslich die *subjektive Bewertung* einer Situation ist, die darüber entscheidet, welche Emotion durch die Situation ausgelöst wird. Falls Sie Fussball nicht mögen, verzeihen Sie mir entsprechende Beispiele, die nachfolgend und später in diesem Buch geschildert werden – ich habe früher selbst diesen Sport lange Zeit betrieben, deshalb sind diese Beispiele für mich naheliegend. Also. An der Europameisterschaft im Sommer 2020 hat die Schweiz Frankreich im Penaltyschiessen bezwungen. Das ist ein objektiv verifizierbarer Umstand. Welchen Einfluss dieser Fakt jedoch auf das Glücksempfinden ausübte, hing natürlich vom Menschen ab, der damit konfrontiert wurde. Hier in der Schweiz hat sich die zumindest einigermassen fussballbegeisterte Bevölkerung sehr über dieses Ergebnis gefreut. In Frankreich sah das natürlich ganz anders aus. Exakt derselbe Umstand, dieselbe Begebenheit hat je nach Betrachter völlig unterschiedliche Emotionen ausgelöst. Und genau, einige Menschen, womöglich auch Sie, hat dieses Resultat kalt gelassen, falls es von Ihnen als Ereignis bewertet wurde, das für das eigene Befinden völlig irrelevant war.

So verhält es sich nun eben nicht nur bezogen auf Resultate von Fussballspielen, sondern auf die Auslösung von Emotionen ganz allgemein: Ob durch ein bestimmtes Ereignis überhaupt eine Emotion ausgelöst wird und welcher Art diese ist: Entscheidend dafür ist die *Bewertung* dieses Umstandes, nicht der Umstand an sich.[9] William Shakespeares Zitat aus dem Bühnenstück Hamlet »Denn an sich ist nichts weder gut noch böse, das Denken macht es erst dazu« verweist auf denselben Umstand. Ich werde im Folgenden immer wieder auf diesen Aspekt zurückkommen. Er mag zwar möglicherweise trivial anmuten, aber er ist ausgesprochen wichtig, und das nicht nur im Kontext des hier thematisierten Glücksmodells.

Entsprechend dem äusserst gewichtigen Einfluss von subjektiven Bewertungsprozessen auf unsere Emotionen und unser Glücklichsein leben glückliche und unglückliche Menschen gewissermassen in verschiedenen subjektiven Welten. Sie reagieren auf dieselben objektiven Gegebenheiten oft sehr unterschiedlich. Untersuchungen zeigten beispielsweise, dass glückliche Menschen sich eher an den Erfolgen von Kollegen erfreuen können, wohingegen die Erfolge anderer bei Unglücklichen mit erhöhter Wahrscheinlichkeit zu negativen Gefühlen führen.[10] Weiter konnte gezeigt werden, dass sich Glückliche aus einer Auswahl für bestimmte Dinge (zum Beispiel für einen neuen Computer oder eine Versicherung) eher gemäss einer Gut-genug-Strategie entscheiden und sich danach gedanklich nicht mehr mit den nicht gewählten Optionen beschäftigen. Unglücklichere tendieren demgegenüber eher dazu, an die nicht gewählten Möglichkeiten zu denken und eine getroffene Wahl zu bereuen.[11]

Zusammengefasst konstatiert das Glücksmodell von Sonja Lyubomirsky, dass rund die Hälfte der Unterschiede zwischen Menschen hinsichtlich des Glücksempfindens durch Vererbung bestimmt wird. Die andere Hälfte dieser Unterschiede wird durch objektive Lebensumstände einerseits und willentliche Aktivitäten andererseits bestimmt, jedoch in sehr ungleichem Ausmass: Die willentlichen Aktivitäten sind viel bedeutsamer. Was problematische Lebensumstände betrifft, könnte es sich lohnen, sie zu ändern, falls man sich nur schwerlich an gewisse Umstände gewöhnt, wie zum Beispiel schwere zwischenmenschliche Konflikte, Lärm am Wohnort oder lange Pendelwege zur Arbeit.[12] Für eine Veränderung von Lebensumständen ist allerdings häufig ein grosser finanzieller oder zeitlicher Aufwand vonnöten, sie ist unpraktisch oder gar unmöglich. Die willentlichen Aktivitäten tragen im Gegensatz dazu grundsätzlich ein viel grösseres Potenzial in sich, das Glücklichsein zu erhöhen. Hierzu wurde in einer Studie gezeigt, dass von Probanden kürzlich erlebte positiv bewertete Veränderungen von willentlichen Aktivitäten (zum Beispiel damit zu beginnen, ein Instrument zu spielen) zu einem längeren und nach-haltigeren Anstieg des Glücks führen als positiv bewer-tete Veränderungen von objektiven Lebensumständen (zum Beispiel eine Lohnerhöhung).[13] Wenden wir uns, mit diesem Wissen über Lyubomirskys Glücksmodell im Gepäck, nachfolgend Studien zu, die sich mit der Frage auseinandergesetzt haben, wie sich Corona auf unsere Psyche ausgewirkt hat.

1.4 Studien zu den Auswirkungen von Corona auf die Psyche

Gemäss den Begrifflichkeiten der Glücksforschung ist der Ausbruch von Covid-19 ein objektiver Lebensum-stand, der sich zu Beginn des Jahres 2020 weltweit ver-ändert hat. Dass veränderte Lebensumstände einen Ein-fluss auf das Glücklichsein ausüben können, wurde im letzten Kapitel deutlich. Hat Corona Menschen also unglücklich gemacht? Während ich an diesem Kapitel schreibe, ist es Herbst 2020, und ich stelle fest, dass seit dem Ausbruch des Virus vor rund einem halben Jahr bereits zahlreiche Studien durchgeführt und publiziert wurden, die untersuchten, welche Auswirkungen diese ausserordentliche Situation auf die menschliche Psyche hatte. Das ist erfreulich, denn Psychiater haben bereits im Frühjahr 2020 auf mögliche negative Folgen der Quarantäne beziehungsweise der Selbstisolation und des Social Distancing hingewiesen. Gefühle von Einsamkeit und Unsicherheit im Hinblick auf die Zukunft, eingeschränkte soziale Kontakte sowie natürlich auch Sorgen um die eigene oder die Gesundheit von Nahestehenden sind bekannte Risikofaktoren im Hinblick auf die Entwicklung von psychischen Störungen.[1] Glücklicherweise blieben die meisten Menschen zumindest von einer schwereren Erkrankung durch das Virus oder gar von Schlimmerem verschont, doch die Ereignisse seit dem Ausbruch von Corona sind an wohl kaum einem spurlos vorbeigegangen. Was für Auswirkungen gab es also?

Im Folgenden stelle ich Ihnen Studien vor, in denen das Glücklichsein, das Stressempfinden und die psychische Gesundheit während Corona analysiert und mit entsprechenden Werten von vor dem Ausbruch des Virus verglichen wurden, falls Vergleichswerte vorhanden waren. Anschliessend werde ich auf einige Studien zu sprechen kommen, in denen untersucht wurde, ob es bestimmte Persönlichkeitsmerkmale und Wertehaltungen gibt, die einen Einfluss darauf ausübten, wie Menschen auf Corona reagierten. Und warum sie auf eine bestimmte Weise reagierten. Abschliessen werde ich das Kapitel mit zwei Studien, die meines Erachtens über ein besonderes Potenzial verfügen, zum Nachdenken anzuregen. Lassen Sie sich überraschen. Doch eins nach dem anderen

Hat Corona Menschen unglücklich gemacht? Dieser Frage ging eine gross angelegte Studie in Südafrika, Neuseeland und Australien nach. Dazu wurde ein äusserst innovatives Mittel der Datengewinnung verwendet: Es wurden Tausende von Twitter-Nachrichten (Tweets) in einem Zeitraum von vier Monaten untersucht, von zwei Monaten vor Lockdown-Beginn im Frühjahr 2020 bis zwei Monate nach den Lockdowns. Die Texte der Tweets wurden auf ihren positiven, neutralen oder negativen emotionalen Gehalt untersucht, indem eine Computersoftware sie in »Glückswerte« umkodierte.

Bereits die Ankündigung des Lockdowns führte in allen drei Ländern zu einer Verminderung der Glückswerte im Vergleich zu den Werten aus derselben Zeitperiode des Vorjahres. Diese Werte stiegen einige Tage nach Beginn des Lockdowns wieder an, was einem leichten Gewöhnungseffekt an veränderte Lebensumstände geschuldet sein dürfte. Sie blieben aber bis zum Ende der Erfassungsperiode unter den Vergleichswerten des Vorjahres. Der negative Effekt von Corona auf das Glücklichsein war zudem umso stärker, je strikter die Lockdown-Massnahmen waren. In Südafrika, wo sehr strikte Massnahmen verordnet wurden, sanken die Glückswerte am stärksten ab, in Australien, wo die Massnahmen vergleichsweise mild waren, am schwächsten.[2]

In Neuseeland sanken wegen des Lockdowns im Frühjahr 2020 nicht nur die Glückswerte, sondern es wurde auch ein Anstieg des berichteten Stresses beobachtet. Dabei wurden zwei Stichproben mit jeweils 1003 Personen untersucht. Die Werte der einen Gruppe stammten aus einer Zeit vor dem Lockdown, die der anderen Gruppe aus der Zeit während der ersten achtzehn Tage des Lockdowns. Der berichtete Stress in der Lockdown-Gruppe war höher als derjenige in der Vergleichsgruppe, was sich auch beim Vergleich der Werte der Lockdown-

Gruppe mit den Stresswerten derselben Gruppe ein Jahr zuvor zeigte. Diese Effekte waren aber relativ schwach. Die Forschergruppe erklärt das damit, dass zu Beginn des Lockdowns auch das Vertrauen in die Politik, die Wissenschaften und die Polizei sowie auch die Zufriedenheit mit dem Handeln der Politiker anstiegen, was das Stressempfinden mutmasslich verminderte.[3]

Das Erleben von Stress wurde ebenfalls in einer schweizerischen Studie untersucht, an der meine beiden Kollegen beteiligt waren, Bart Wissmath und David Weibel. Anhand einer Stichprobe mit über 1500 Personen konnte gezeigt werden, dass der erlebte Stress in der Bevölkerung zu Beginn des Lockdowns grösser war als vor dem Ausbruch des Virus – ebenso wie in der vorangehend erwähnten neuseeländischen Studie. Weiter übte die Angst vor Corona einen starken Einfluss auf das Sich-Sorgen aus, das wiederum in einem ebenso starken Zusammenhang mit dem erlebten Stress stand. Zwei weitere Befunde dieser Studie scheinen mir bemerkenswert: Zum einen war der empfundene Stress bei denjenigen Personen stärker ausgeprägt, die die von der Regierung bestimmten Massnahmen als zu lasch oder zu streng beurteilten. Weniger Stress erlebte, wer die Massnahmen als angemessen erachtete. Zweitens war das Ausmass des Stresses unabhängig davon, ob die Studienteilnehmer einer objektiv bestimmbaren Risikogruppe angehörten (hohes Alter und/oder mit Vorerkrankungen).[4] Welche weiteren Faktoren könnten also dafür verantwortlich sein, dass sich das Ausmass des empfundenen Stresses in der untersuchten Stichprobe unterschied? Auf diese Frage werde ich bald zurückkommen.

Was Australien betrifft, so sanken, wie erwähnt, auch dort aufgrund des Lockdowns nicht nur die Glückswerte. Von den mehr als 5000 Personen, die in einer weiteren Studie untersucht wurden, berichteten mehr als drei Viertel (78 %), dass sich ihre psychische Gesundheit seit dem Ausbruch von Corona verschlechtert habe. Eine kleine Minderheit von 4,8 Prozent berichtete demgegenüber, dass sich ihre psychische Gesundheit erhöhte, bedingt durch die besonderen Umstände. Zudem gab gut ein Viertel der untersuchten Stichprobe an, sehr oder extrem besorgt darüber zu sein, sich mit dem Virus zu infizieren. Die Daten, die online mithilfe eines Fragebogens erhoben wurden, zeigten des Weiteren, dass die Hälfte der Teilnehmenden Gefühle der Unsicherheit, der Einsamkeit und finanzielle Sorgen schilderte. Personen, die angaben, bereits vor dem Ausbruch des Virus eine Diagnose hinsichtlich einer psychischen Krankheit erhalten zu haben, litten dabei unter mehr Stress und unter mehr gesundheitsbezogenen Ängsten als Teilnehmende ohne eine entsprechende Vorbelastung. Bemerkenswert ist an dieser Studie, dass mehr als zwei Drittel der Teilnehmenden (70 %) von einer solchen früheren Diagnose berichteten, was die weiter oben beschriebenen hohen Werte erklären könnte bezüglich Verschlechterung der psychischen Gesundheit sowie den mit dem Ausbruch von Corona verbundenen Sorgen und Ängsten.[5]

In einer amerikanischen Studie wurde das Vorhandensein von Symptomen von Depression in zwei Stichproben untersucht, repräsentativ für die Bevölkerung. Die Daten von über 1400 Personen während des Lockdowns wurden dabei mit den Werten von über 5000 Personen verglichen, die im Rahmen einer nationalen Befragung in den Jahren 2017 und 2018 gesammelt worden waren. Symptome von Depression wurden im Frühjahr 2020 gegenüber der Vergleichsstichprobe verdreifacht festgestellt und standen zudem im Zusammenhang mit einem tieferen Einkommen, weniger Ersparnissen und dem Ausgesetztsein mit mehr Stressoren, wie zum Beispiel dem Verlust der Arbeitsstelle oder dem Tod einer nahestehenden Person durch das Virus.[6]

Die Coronakrise kann als ein Ereignis betrachtet werden, das Menschen traumatisieren und dementsprechend eben beispielsweise Depressionen auslösen kann. Was sagt die Forschung zu der Frage, ob solche Traumatisierungen effektiv stattgefunden haben? In einer Studie, rund einen Monat nach dem Ausbruch des Virus in China 2020 durchgeführt, wurde festgestellt, dass ein klinisch relevantes Ausmass von sogenannten posttraumatischen Belastungsstörungen (PTBS) bei fast einem Drittel (30,8 %) der insgesamt über 2000 untersuchten Studierenden vorhanden war. PTBS sind Reaktionen auf ein sehr belastendes Ereignis mit typischen Symptomen wie beispielsweise Nervosität, Angst, Reizbarkeit oder Schlafstörungen. Ebenfalls wurden in der Stichprobe ein klinisch relevantes Ausmass von Angst bei 15,5 Prozent und

Symptome von Depressivität bei 23,3 Prozent der Teilnehmer festgestellt. Traumatische Erlebnisse können aber nicht nur Belastungsstörungen auslösen, sondern auch zu sogenanntem posttraumatischem Wachstum führen, was eine persönliche Weiterentwicklung meint, die durch die Belastung ausgelöst wurde. Das posttraumatische Wachstum wurde in der besagten Studie ebenfalls erhoben und bei mehr als doppelt so vielen Teilnehmern (66,9 %) beobachtet als die PTBS.

Dazu wurden mithilfe von Zustimmungsurteilen auf Einschätzskalen entsprechend positive Auswirkungen von Corona erfasst. Das geschah auf den Dimensionen *Beziehungen zu anderen Menschen* (zum Beispiel: »Ich weiss, dass ich in schweren Zeiten auf andere zählen kann«, »Ich fühle mich anderen nahe«), *neue Möglichkeiten* (zum Beispiel: »Ich entwickle neue Interessen«, »Ich habe einen neuen Lebensweg entwickelt«), *persönliche Stärken* (zum Beispiel: »Ich weiss, dass ich mit Schwierigkeiten umgehen kann«, »Ich habe entdeckt, dass ich stärker bin, als ich dachte«) und *Wertschätzung des Lebens* (zum Beispiel: »Ich kenne meine Prioritäten hinsichtlich der Frage, was wichtig im Leben ist«, »Ich kann jeden Tag wertschätzen«). In diesem Fragebogen war die Dimension *Religiosität/Spiritualität* mit enthalten (zum Beispiel: »Ich verstehe spirituelle Aspekte besser«, »Ich habe einen stärkeren Glauben«). Sie wurde bei der Datenanalyse nicht berücksichtigt, da sie gemäss den Autoren nicht in die chinesische Kultur passt.[7] Ich möchte diese Dimension hier mit Blick auf die grundlegende Thematik dieses

Buches aber nicht unerwähnt lassen und im nächsten Kapitel den Aspekt der Spiritualität besprechen. Die Ergebnisse der Studie sind insgesamt bemerkenswert, obschon folgende Fragen offenbleiben: Wie hoch waren die berichteten Prozentwerte vor dem Ausbruch von Corona? Wäre dieses Resultatemuster auch in der generellen (das heisst, in der nicht ausschliesslich studentischen) Bevölkerung Chinas sowie in anderen Kulturkreisen zu beobachten? Wie lange dauern die beobachteten Effekte wohl an?

Diese Studien aus verschiedenen Ländern zeigen, dass Corona bei einem beträchtlichen Teil der untersuchten Menschen einen negativen Einfluss auf das Glücklichsein ausübte, das Stressempfinden erhöhte und die psychische Gesundheit beeinträchtigte. In diesen Studien wurden allerdings jeweils Werte von verschiedenen Gruppen von Menschen verglichen oder von denselben Gruppen zu verschiedenen Zeitpunkten miteinander. Sehr wahrscheinlich haben Sie während des Lockdowns aber selbst zur Kenntnis genommen, dass die Menschen in Ihrem Umfeld in sehr unterschiedlichem Ausmass zum Beispiel mit Angst und Stress auf die besondere Lage reagiert haben. In einer der zuvor vorgestellten Untersuchungen wurde ja gezeigt, dass nicht wenige Menschen auf psychischer Ebene durch Corona nicht beeinträchtigt wurden, sondern im Gegenteil posttraumatisches Wachstum erfuhren.

Zahlreiche Wissenschaftler dürften ebenso wie ich eine gewisse Demut in der Hinsicht entwickelt haben, dass sich die eigenen Vermutungen und Hypothesen nicht selten als falsch herausstellen, sobald eigene oder Daten von anderen Forschern vorliegen. In diesem Fall wurde meine Vermutung aber bestätigt, dass aufgrund von Corona einerseits zwar zahlreiche Menschen gelitten haben sowie klinisch auffällig wurden und dass es andererseits Menschen gab, die von diesem Ereignis profitieren und als Folge davon wachsen konnten – auch wenn das für einige Leser womöglich paradox klingen mag. Gerne verweise ich an dieser Stelle auf zwei Teams von amerikanischen und griechischen Psychologen, die meinen Optimismus hinsichtlich der »stärker als zuvor«-Theorie bereits im Frühling 2020 teilten, bevor entsprechende Daten vorlagen.[8, 9] Ob, und wenn ja welche, Persönlichkeitsmerkmale indes einen Einfluss auf die so unterschiedlichen Reaktionen von Menschen auf Corona ausgeübt haben könnten, wurde in weiteren Studien untersucht, auf die ich nachfolgend zu sprechen komme.

Das Persönlichkeitsmerkmal Neurotizismus erwies sich als ein Faktor, der für das Stresserleben bedeutsam ist, wie im ersten Kapitel erwähnt – Neurotizismus verfügt über eine genetische Basis und bezeichnet eine Tendenz zur emotionalen Instabilität und zum häufigen Erleben von Angst und Sorge. Neurotischere Menschen erlebten kurz nach dem Ausbruch von Corona mehr Stress. Dieser Zusammenhang, so konnten die kanadischen Autoren zeigen, wurde verursacht durch die Wahrnehmung einer erhöhten Bedrohung (durch das Virus) sowie einer Verminderung des Gefühls, auf diese Bedrohung angemessen reagieren und sich vor einer Infektion schützen zu können. Überraschender mag der Befund sein, dass auch extravertierte Menschen nach dem Ausbruch von Corona mehr Stress empfanden als Introvertierte – Extraversion beschreibt besonders gesellige Zeitgenossen, die gern viele Menschen um sich haben und schnell mit Fremden ins Gespräch kommen. Die Forschergruppe spekuliert, dass das daran liegen könnte, dass Extravertierte während des Lockdowns viel weniger soziale Kontakte pflegen konnten, als es dieser Typus Mensch gewohnt ist.[10]

Im weiteren Verlauf werde ich wiederholt darauf zu sprechen kommen, dass Stress und auch das Glücklichsein ebenso in starkem Ausmass von der Befriedigung unserer individuellen Bedürfnisse abhängen, wie es auch in dieser Studie gezeigt wurde. Dass Neurotische im Frühjahr 2020 in ihrem Alltag indes mehr negative Emotionen erlebten als emotional Stabile, wurde ebenfalls in einer Studie aus Deutschland festgestellt. Als ursächliche Faktoren konnten dabei eine erhöhte Aufmerksamkeit hinsichtlich coronabezogener Informationen und daraus resultierende Sorgen um die eigene oder die Gesundheit von nahestehenden Personen identifiziert werden sowie stärkere negative Emotionen während dieses Sich-Sorgen-Machens.[11] Dieser Befund kann ergänzend zu der vorher erwähnten kanadischen Studie betrachtet werden. Die wahrgenommene Bedrohung, durch das Virus verstärkt, könnte damit zusammenhängen, dass vermehrt Medien konsumiert wurden und coronabezogenen Informationen mehr Aufmerksamkeit gewidmet wurde. Am Rande sei an dieser Stelle darauf hingewiesen, dass die Möglichkeit, unser emotionales Erleben zu beeinflussen, nicht erst damit beginnt, beispielsweise zu versuchen, Angst abzuschwächen, indem die eigene geistige Perspektive auf die Situation verändert wird, die diese Emotion auslöst. Vielmehr steht an erster Stelle des Prozesses einer solchen sogenannten Emotionsregulation häufig die Frage, ob man sich mit bestimmten Themen und Situationen überhaupt konfrontieren will.[12]

So erzählten mir seit dem Ausbruch von Corona einige Freunde und Bekannte, es gehe ihnen wesentlich besser, seit sie ihren Medienkonsum einschränkt haben. Abgesehen davon: In der vorhin erwähnten deutschen Untersuchung war der Einfluss von Neurotizismus auf das Erleben von negativen Emotionen wesentlich stärker als der Einfluss von demografischen Faktoren wie Alter, Geschlecht oder Bildungsstand. Neurotizismus hatte bemerkenswerterweise auch einen stärkeren Einfluss auf die Emotionen als die reale Bedrohung durch das Virus, gemessen anhand der An- oder Abwesenheit von typischen Coronasymptomen. Damit kann festgehalten werden: Extraversion, aber insbesondere auch das Persönlichkeitsmerkmal Neurotizismus, das einen Einfluss auf das Erleben von Stress und negativen Emotionen bei potenziell stressauslösenden Ereignissen generell ausübt, taten das ebenso während des Sonderfalls Corona. Somit scheint die Vermutung plausibel, dass Neurotizismus auch in der weiter oben erwähnten, in der Schweiz durchgeführten Studie, in der jedoch keine Persönlichkeitsmerkmale erhoben wurden, im Zusammenhang mit dem Stresserleben stand.

Vom Konzept der Achtsamkeit haben Sie womöglich bereits gehört, da es in den letzten Jahren im Zusammenhang mit der Förderung der psychischen Gesundheit medial vermehrt aufgegriffen wurde – Stichwort: Achtsamkeitstraining. Achtsamkeit kann ebenso wie Neurotizismus oder Extraversion als Persönlichkeitsmerkmal verstanden werden und bezeichnet die Fähigkeit, die Aufmerksamkeit willentlich darauf zu richten, was in der Gegenwart geschieht. Dabei wird dieses Geschehen jedoch nicht ständig bewertet, sondern mit einer offenen Geisteshaltung akzeptiert. Analog zu der im vorangehenden Abschnitt vorgestellten Studie zeigte sich in einer italienischen Untersuchung, dass Achtsamkeit den mit grossem Abstand stärksten Zusammenhang mit dem Stresserleben darstellte – weitere erhobene Variablen waren zum Beispiel Alter, Geschlecht oder Anzahl positiver Coronafälle im persönlichen Umfeld. Achtsamere Menschen erlebten also während des Lockdowns deutlich weniger Stress.[13] Hier erinnere ich mich an die Aussage eines guten Freundes. Er berichtete mir zu Beginn des Lockdowns, er versuche, wenn immer möglich, die Perspektive eines Zeitzeugen einzunehmen, der einfach beobachtet und registriert, was geschieht, ohne die Ereignisse auf einer emotionalen Ebene zu nahe an sich heranzulassen, und ohne sich durch diese – genau – stressen zu lassen. Natürlich ist das für viele Menschen leichter gesagt als getan, aber diese Aussage beschreibt sehr schön, was eine Haltung der Achtsamkeit im Kern charakterisiert.

Abgesehen davon stellt sich die Frage, ob es Faktoren gibt, die (mit-)bestimmen könnten, ob jemand bedingt durch den Coronaausbruch eine PTBS erlitt oder posttraumatisches Wachstum erlebte. Eine Forschergruppe untersuchte zu diesem Zweck eine für die spanische Bevölkerung repräsentative Stichprobe mit fast 2000 Personen. Dabei wurde festgestellt, dass die Entwicklung einer PTBS im Zusammenhang mit Intoleranz gegenüber Unsicherheit stand sowie mit einer Grundhaltung des Misstrauens, beispielsweise anderen Menschen gegenüber. Die Bedeutung von Intoleranz (oder Toleranz) gegenüber Unsicherheit wird deutlich, wenn wir an die zahlreichen im Frühjahr 2020 brennenden Fragen denken: Wie gefährlich ist das Virus? Wie wird die Regierung im eigenen Land auf die Bedrohung reagieren? Wann wird ein wirksamer und sicherer Impfstoff zur Verfügung stehen? Und so weiter. Wer also besser mit den damit verbundenen Unsicherheiten umzugehen vermochte, kam besser durch diese Zeit. Gemäss der spanischen Studie erlebten des Weiteren diejenigen Personen mit höherer Wahrscheinlichkeit posttraumatisches Wachstum, die davon überzeugt waren, in einer guten Welt zu leben, und zu Protokoll gaben, der Zukunft trotz der speziellen Lage optimistisch entgegenblicken zu können.[14] Dieser Befund verweist auf das Potenzial von Charakterstärken (Optimismus) und positiven Emotionen (Hoffnung) in

Zeiten von Corona, auf die ich im nächsten Kapitel zu sprechen komme.

Es ist Sommer 2021 und ich schreibe gerade dieses Kapitel. In den letzten Wochen wurde ich auf zwei Studien aufmerksam, die ich nachfolgend ergänzend vorstellen möchte. Sie erscheinen mir nicht nur sehr interessant, sondern verfügen zudem über grosses Potenzial, um sich einige weitergehende Gedanken zu machen. Ein Team von Psychologen der Universität Salzburg widmete sich im Frühjahr 2021 im Rahmen einer gross angelegten Studie unter anderem der Frage, wie hoch in der Bevölkerung die Wahrscheinlichkeit eingeschätzt wird, selbst lebensgefährlich an Corona zu erkranken. Diese Einschätzungen von über 3500 erwachsenen Personen aus Österreich wurden mit den Wahrscheinlichkeiten verglichen, die von den Gesundheitsämtern objektiv ermittelt wurden. Die Daten wurden getrennt nach Altersgruppen ausgewertet. Es zeigte sich dabei im extremsten Fall, dass die Gruppe der 30- bis 39-Jährigen diese Wahrscheinlichkeit um das 58-Fache überschätzte. Die subjektiv geschätzte Wahrscheinlichkeit einer lebensbedrohlichen Erkrankung durch Corona betrug in dieser Altersgruppe im Schnitt 9,8 Prozent – die entsprechende objektive Wahrscheinlichkeit lag jedoch bei nur 0,17 Prozent. Das Ausmass der Überschätzung des Risikos einer lebensgefährlichen Infektion reduzierte sich bei den älteren Gruppen. Bei den 50- bis 59-Jährigen betrug es noch das 13-Fache der effektiven Wahrscheinlichkeit, bei den über 70-Jährigen das 6-Fache.[15] Diese Daten geben zu denken. Woran könnte es liegen, dass die Risikoeinschätzungen derart überhöht ausfielen? Hätte es den Menschen eventuell zu einem weniger belastenden Umgang mit Corona verholfen, wären sie in Bezug auf die effektiven Häufigkeiten und Wahrscheinlichkeiten schwerer Erkrankungen besser informiert gewesen? Darüber könnte man lange diskutieren, aber darauf will ich an dieser Stelle verzichten. Ich erforsche im Rahmen eines Projektes an der Universität Bern in den kommenden Monaten, ob diese Risikoeinschätzungen im Zusammenhang mit Persönlichkeitsmerkmalen stehen. Es wird Sie nach der Lektüre dieses Kapitels wohl nicht überraschen, dass ich dabei im Speziellen untersuchen werde, ob das Risiko, selbst lebensbedrohlich an Corona zu erkranken, von Neurotischen (rückblickend) stärker überschätzt wird als von psychisch Stabilen.

Die Daten von mehr als einer halben Million an Corona erkrankten erwachsenen Patienten, die zwischen März 2020 und 2021 in über 800 amerikanische Spitäler eingewiesen wurden, sind in eine Studie eingeflossen, die Anfang Juli 2021 publiziert wurde. Untersucht wurde, welche medizinischen und psychischen Bedingungen im Zusammenhang mit den Spitaleinweisungen und Todesfällen stehen. Als die drei gewichtigsten Risikofaktoren, um an Corona zu versterben, erwiesen sich dabei Übergewicht, Diabetes mit Komplikationen sowie ein nicht rein medizinischer Faktor: Angst und Angststörungen – beispielsweise die generalisierte Angststörung oder Panikstörungen. Die Autoren betonen, dass bezüglich des letztgenannten, sehr bemerkenswerten Faktors die zukünftige Forschung beleuchten sollte, auf welchen Wegen dieser Zusammenhang zustande kommen könnte.[16] Bekannt ist aber schon seit Längerem, dass zwischen stark ausgeprägter Angst und Stress ein enger Zusammenhang besteht. Sie schwächen das Immunsystem und machen damit anfälliger für Infektionskrankheiten.[17] Empfundene Angst und Stress, die wie schon beschrieben in besonderem Masse mit Neurotizismus in Verbindung stehen, können demnach die körperliche Gesundheit beeinträchtigen. Dass das auch im Fall von Corona geschah, wird durch die erwähnte amerikanische Studie nahegelegt, ist im Rahmen von zukünftigen Studien aber noch genauer zu klären.

Zusammengefasst legte ich in diesem Kapitel dar, dass der Ausbruch von Covid-19 einen gewichtigen Einfluss auf die Psyche von Menschen in verschiedenen Ländern ausübte. Einerseits sorgte er für vermindertes Glücklichsein und erhöhten Stress, und es existieren darüber hinaus bestimmte Persönlichkeitsmerkmale, die das Erleben von Stress während der Lockdowns in besonderem Masse förderten (Neurotizismus) oder auch hemmten (Achtsamkeit). Klinisch relevante Störungen wurden in dieser Zeit ebenfalls gehäuft beobachtet, zum Beispiel Depression oder PTBS. Wie weiter aufgezeigt wurde, könnten namentlich das Empfinden von Angst und Angststörungen gar eine Ursache für das Versterben nach einer Coronainfektion sein.

Die präsentierten Studien deuten zudem darauf hin, dass nicht nur unmittelbar mit dem Virus in Verbindung stehende Ängste für eine Verschlechterung des Befindens sorgten, wie beispielsweise selbst schwer an Corona zu erkranken oder dadurch geliebte Menschen zu verlieren. Auch finanzielle Sorgen und die angeordneten Massnahmen sorgten (bei Extravertierten) für Stress. Hierzu zählt die befürchtete Einschränkung der Meinungsfreiheit und der Grundrechte. In der österreichischen Studie gaben fast die Hälfte (45 %) der Befragten diese Befürchtungen zu Protokoll, und 89,1 Prozent fühlten sich zum Zeitpunkt der Datenerhebung durch die coronabedingten Massnahmen sehr (60,2 %) oder zumindest etwas (28,9 %) eingeschränkt.[18]

Andererseits gibt es Menschen, die sich aufgrund des Ausbruchs von Corona in eine positive Richtung entwickelten und deren psychische Gesundheit gefördert wurde. Diesbezüglich wurde in mehreren Studien aufgezeigt, dass das Befinden stärker durch Persönlichkeitsaspekte beeinflusst wurde als durch objektive Lebensumstände wie beispielsweise das Alter, das Geschlecht oder die Anzahl positiver Coronafälle im persönlichen Umfeld. Diese Befunde sind konsistent mit dem Glücksmodell von Sonja Lyubomirsky: Unser Befinden wird stärker durch unser Denken, Fühlen und Tun beeinflusst als durch objektive Lebensumstände. Zwar ist abzuwarten, wie sich das Wohlergehen von Menschen als Folge von Corona über längere Zeitspannen hinweg entwickeln wird, doch kann gesagt werden, dass dadurch in Bezug auf die menschliche Psyche in vielen Fällen gewissermassen die Karten neu gemischt wurden, und keinesfalls nur in negativer Weise. Darauf aufbauend beleuchte ich im Folgenden Befunde aus der Glücksforschung auch vor dem Hintergrund der aktuellen Studien, die in diesem Kapitel vorgestellt wurden.

2

Die Glücksforschung vor dem Hintergrund von Corona

Nachdem ich im ersten Kapitel einige wichtige Grundlagen zur Glücksforschung sowie zu den Auswirkungen von Corona auf die menschliche Psyche dargelegt habe, vermittle ich in Kapitel zwei einen vertieften Blick auf die Psychologie des Glücklichseins. Ich beginne mit zwei fundamentalen Bausteinen dessen, was Menschen glücklich macht: positive Emotionen und Charakterstärken. Anschliessend bespreche ich die zentrale Bedeutung der folgenden Fragen für unser Glücklichsein: Was ist uns im Leben wichtig? Und welche Ziele verfolgen wir in unserem Leben? Einige dieser Inhalte werden dann gleich im nächsten Abschnitt wieder aufgegriffen, in dem es um die Steine geht, über die man auf dem Weg zum Glück stolpern kann: Glücksfallen. Dieses zweite Kapitel werde ich mit einigen ausgewählten Übungen abschliessen, die mir als besonders geeignet erscheinen, um das eigene Glücklichsein gerade in diesen herausfordernden Coronazeiten zu erhöhen. Das würde sich, wie wir wissen, auch positiv auf die psychische und körperliche Gesundheit auswirken.

2.1 Positive Emotionen und Charakterstärken

Positive Emotionen

Als Autor dieses Buches freue ich mich natürlich sehr darüber, wenn Sie die vorliegenden Zeilen mit *Interesse* lesen. Das dürfte klar sein. Es hat einen bestimmten Grund, dass ich dieses Kapitel mit einer eher untypischen positiven Emotion beginne, anstatt zum Beispiel mit Liebe, Freude, Zufriedenheit oder Stolz. Die Emotion Interesse ist ein gutes Beispiel dafür, um die Funktion von positiven Emotionen und ihre mittel- sowie langfristigen positiven Konsequenzen zu erläutern. Betrachten wir zur Illustration dieses Umstands zunächst, wie negative Emotionen funktionieren. Egal, ob wir Angst, Wut, Traurigkeit oder Ekel empfinden, üblicherweise richtet sich der Fokus unserer Aufmerksamkeit dann exakt auf das Ereignis, das die Emotion auslöst. Somit ist (zumindest in der Theorie) der erste Schritt getan, um das Problem anzugehen, auf das die Emotion hingewiesen hat. Erkenne den »Feind«!

Insbesondere beim Erleben von intensiven negativen Emotionen ist die Folge allerdings auch, dass es uns schwerfällt, uns auf andere Dinge zu konzentrieren, denen wir unsere Aufmerksamkeit vielleicht gerne widmen würden. Und nicht nur das … manchmal kann uns eine problematische Sachlage sogar schlaflose Nächte bescheren. Diese Einengung unserer Aufmerksamkeit macht aus emotionspsychologischer Perspektive aber grundsätzlich Sinn – dem Problem muss man sich widmen.[1]

Was geschieht hingegen in Momenten, in denen wir positive Emotionen erleben? Hierbei fehlt es zwar auch nicht an einem bestimmten auslösenden Ereignis, wie zum Beispiel dem ersten Lächeln unseres Babys oder den lobenden Worten des Chefs, aber ein solches Ereignis weist ja nicht auf einen problematischen Umstand hin. Alles ist gut. Was also geschieht in diesem Moment in uns? Nichts? Oder zumindest nichts Besonderes? Oh, doch. Als ich zum ersten Mal von der Theorie von Barbara Fredrickson las, die sich mit der Funktion und den Auswirkungen von positiven Emotionen beschäftigt, war ich einigermassen erstaunt. Ich hatte mich bis zu dem Zeitpunkt, man könnte sagen, typischerweise als Psychologe, vorwiegend mit der Charakterisierung von negativen Emotionen beschäftigt und kaum darüber nachgedacht, was positive Emotionen mit uns machen und was das zur Folge haben könnte.

Fredrickson und ihr Team zeigen mit eindrücklichen Studien, wie sich das Erleben von positiven Emotionen auf unsere Psyche auswirkt. Zunächst zu den unmittelbaren, zu den kurzfristigen Folgen: Betrachten Probanden kurze Filmsequenzen, durch die die positiven Emotionen Belustigung oder Zufriedenheit ausgelöst werden, so hat das nicht nur den Effekt, dass sie dadurch angenehme Gefühle erleben. Werden sie nämlich anschliessend gebeten, alle Dinge aufzulisten, die sie gerne tun würden, so schildern die Teilnehmer mehr Dinge (wie zum Beispiel körperlich oder spielerisch aktiv zu sein oder mit anderen Menschen Zeit zu verbringen), als wenn – durch eine andere Filmsequenz – keine Emotion ausgelöst wurde. Die Probanden listeten am wenigsten Dinge auf, die sie gerne tun würden, wenn sie zuvor Filmsequenzen sahen, die bei ihnen Ekel und Angst auslösten, also typische negative Emotionen.[2]

Man könnte aufgrund dieser Ergebnisse sagen, dass negative Emotionen unser Denken einengen und deshalb das Repertoire möglicher Gedanken und Aktivitäten einschränken, die uns in dem Moment durch den Kopf gehen. Sind wir wütend auf den Chef oder haben wir Angst vor einem Treffen mit einem bestimmten Menschen, fällt es uns eher schwer, an etwas anderes als den Chef oder diesen einen Menschen zu denken. Wie vorhin erläutert, verharrt beim Erleben von negativen Emotionen der Fokus unserer Aufmerksamkeit bei der problematischen Situation. Demgegenüber öffnen positive Emotionen den Geist, machen uns gedanklich flexibel und offener für vielerlei Dinge, die wir in diesem Moment tun könnten.

Um auf die positive Emotion Interesse zurückzukommen ... Vielleicht lesen Sie diese Zeilen mit sehr grossem Interesse. In dem Fall können Sie den Test gleich machen: Überlegen Sie sich, was Sie gern tun würden. Lesen Sie diese Zeilen mit weniger Interesse, könnten Sie versuchen, sich vorzustellen, was grosses Interesse auslösen könnte – abgesehen von den eher milden, aber angenehmen Gefühlen, die Sie dabei erleben. Das Bedürfnis, mehr über die Funktion von positiven Emotionen zu erfahren? Vielleicht ein Buch zur Thematik zu kaufen oder Ihrer Freundin über diese Theorie und entsprechende Befunde zu erzählen? Und was könnte aus diesem grossen Interesse weiter folgen? Dass Sie sich tiefer in das Thema einlesen, im Internet Vorträge der Expertin zum Thema »positive Emotionen Barbara Fredrickson« (die Sie dort finden) anhören oder vielleicht sogar mit dem Gedanken spielen, ein Psychologiestudium in Angriff zu nehmen?

Nun, ich rechne natürlich nicht damit, dass das der Mehrheit von Ihnen tatsächlich so passiert. Es geht mir darum, die Idee der Theorie aufzuzeigen, dass positive Emotionen die Wirkung haben, den Geist zu öffnen. Möglicherweise leuchtet Ihnen diese Theorie noch besser ein, wenn Sie sich vergegenwärtigen, was die Liebe zu einem anderen Menschen in Ihnen auszulösen vermag – zum Beispiel den Wunsch, gemeinsame Pläne für die Zukunft zu schmieden. Oder was starke Gefühle der Hoffnung auslösen können, wenn Sie in die Zukunft blicken, nachdem Sie sich aus misslichen Umständen befreien konnten. Oder Dankbarkeit, die Sie Ihrem ehemaligen Chef gegenüber empfinden, der Sie stets gefördert und an Sie geglaubt hat, wodurch der Weg zu Ihrer Berufung geebnet wurde. Positive Emotionen öffnen nämlich nicht nur unmittelbar in dem Moment den Geist, in dem Sie sie erleben, sie haben auch mittel- und langfristig positive Effekte, wie die vorangehenden Beispiele aufzeigen.

Das »psychologische Kapital«, das durch positive Emotionen gebildet werden kann, führt zu mehr Glücklichsein. Ebenso, wie es im Fall von negativen Emotionen Abwärtsspiralen geben kann, führt das häufige Erleben von positiven Emotionen zu Aufwärtsspiralen, die dem Glücklichsein über die Zeit hinweg förderlich sind. Wer zudem mehr positive Emotionen erlebt, vermag später überdies besser mit Situationen umzugehen, die potenziell Stress auslösen. Das kann dadurch geschehen, dass man sich Gedanken darüber macht, auf welche unterschiedlichen Weisen man ein Problem handhaben könnte, oder dadurch, dass man sich gedanklich ein wenig aus der Situation herausnimmt und versucht, sie objektiver zu betrachten.[3] Vielleicht klangen die Worte des Partners in Ihren Ohren ja vorwurfsvoller, als sie tatsächlich gemeint waren.

Weiter ist es durchaus bemerkenswert, dass die unmittelbaren Auswirkungen von positiven und negativen Emotionen nicht miteinander vereinbar sind. Erstere öffnen den Geist – Letztere engen unser Denken ein. Was geschieht also, wenn Menschen zuerst negative und anschliessend positive Emotionen erleben? Barbara Fredrickson und ihr Team haben das untersucht. Dazu wurden Versuchsteilnehmer zunächst gestresst, was eine starke und damit potenziell schädigende Aktivierung des Herz-Kreislauf-Systems bewirkte. Sahen die Teilnehmer aber unmittelbar danach einen Filmausschnitt, der lustig war oder Zufriedenheit auslöste, so erholte sich das Herz-Kreislauf-System schneller, als wenn sie nach dem

Stress einen traurigen oder emotional neutralen Filmausschnitt sahen. Durch die positiven Emotionen wurden also mögliche schädliche Nachwirkungen von negativen Emotionen wettgemacht. Interessant dabei ist, dass das alleinige Betrachten der emotional positiven oder neutralen Filmausschnitte das Herz-Kreislauf-System praktisch nicht aktivierte. Positive Emotionen sind demnach nichts Besonderes in Bezug darauf, wie sie sich auf die Aktivierung des Herz-Kreislauf-Systems auswirken, sondern ihre besondere Wirkung bezieht sich darauf, was für potenziell schädliche Effekte sie *wettmachen* können, die durch negative Emotionen ausgelöst wurden.[4]

Auf diese Schutzwirkung von positiven Emotionen vor Krankheiten verweisen auch die Daten einer gross angelegten amerikanischen Studie, in der die Krankheitsakten von mehr als tausend Menschen analysiert und in Relation gesetzt wurden zu eigenen Berichten der Teilnehmer hinsichtlich des Erlebens von den zwei spezifischen positiven Emotionen Hoffnung und Interesse. Häufigeres Erleben von Hoffnung stand dabei im Zusammenhang mit einer geringeren Wahrscheinlichkeit, von Bluthochdruck, Zuckerkrankheit und Atemwegsinfektionen betroffen zu sein, oder diese Krankheiten zu entwickeln. Und wer berichtete, in seinem Leben häufig Interesse zu empfinden, litt mit geringerer Wahrscheinlichkeit unter Bluthochdruck oder Zuckerkrankheit.[5]

Dass das Erleben von positiven Emotionen auch der psychischen Gesundheit dienlich ist, zeigte sich in einer aktuellen Studie mit Teilnehmern aus England und den USA: Wer seit dem Ausbruch von Corona mehr positive Emotionen erlebte, erwies sich als resilienter, war also psychisch widerstandsfähiger. Das war im Speziellen bei Menschen der Fall, die nicht nur über intensivere positive, sondern auch über intensivere negative Emotionen berichteten. Spannend, nicht wahr? Diese Daten deuten demnach nicht nur auf die Wichtigkeit von positiven Emotionen hin, sondern darüber hinaus auf das Potenzial, das positive Emotionen in Kombination mit negativen Emotionen haben, um die psychische Gesundheit zu fördern.[6] Darauf, dass auch negative Emotionen ihren Wert haben und in gewissen Fällen nicht unterdrückt werden sollten, habe ich bereits hingewiesen. Ich werde später noch einmal darauf zurückkommen, wenn ich Übungen zur Förderung des Glücklichseins vorstelle.

Fazit: Die Förderung positiver Emotionen lohnt sich aus verschiedenen Gründen. Sie fühlen sich nicht nur gut an, sondern öffnen den Geist. So kann häufiges Erleben von positiven Emotionen eine Aufwärtsspirale bewirken und macht über die Zeit hinweg glücklich, erlaubt einen besseren Umgang mit Stress und hilft sogar dabei, schädliche Auswirkungen von negativen Emotionen wettzumachen. Weiter steht das Erleben von positiven Emotionen im Zusammenhang mit weniger gesundheitlichen Beschwerden. In Zeiten von Corona, in denen unsere Psyche immer mal wieder mit stressreichen Situationen konfrontiert werden kann oder noch dabei ist, sich von ihnen zu erholen, ist das doch gut zu wissen.

Charakterstärken

Eines meiner Highlights während meiner Beschäftigung mit der Psychologie des Glücklichseins war das Buch »Charakterstärken und Tugenden« von Christopher Peterson und Martin Seligman, das 2004 erschien.[7] Letztgenannter Autor dürfte einigen Lesern bekannt sein: Seligman hatte sich jahrzehntelang mit dem Phänomen der erlernten Hilflosigkeit und der Bekämpfung von Depression beschäftigt und unter anderem das erfolgreiche Buch »Gelernter Optimismus« geschrieben. Ich war begeistert von der Idee der beiden Autoren, ergänzend zu den sehr umfassenden Klassifikationssystemen psychischer Störungen, die bereits existieren, ein solches System für Charakterstärken zu etablieren. Ich kaufte mir das Buch und forschte in den kommenden Jahren in diesem Bereich mit Studierenden am Institut für Psychologie der Universität Bern und später des Studiengangs Psychologie der FernUni Schweiz. Beispielsweise untersuchten wir, ob das Auslösen von Emotionen beim Betrachten von Filmsequenzen durch spezifische Charakterstärken beeinflusst wird oder ob sie kultiviert werden können, um das Glücklichsein zu erhöhen.

Was Charakterstärken sind, kann recht einfach beschrieben werden. Es handelt sich um positiv bewertete Eigenschaften der Persönlichkeit, die unser Denken, Fühlen und Verhalten beeinflussen, deren Anwendung für das Individuum erfüllend ist und zu einem erfüllten Leben beiträgt.[8] Bringen Menschen Charakterstärken zum Ausdruck, wirkt sich das aber nicht nur in positiver

Weise auf sie selbst, sondern auch auf die Menschen aus, die Zeugen eines solchen Verhaltens werden. Wer charakterstarkes Verhalten beobachtet, erlebt häufig wohlige Gefühle und kann dazu inspiriert werden, solches Verhalten zukünftig selbst vermehrt an den Tag zu legen.[9] An dieser Stelle will ich die Katze noch nicht aus dem Sack lassen, welche Charakterstärken Peterson und Seligman genau identifiziert haben – vorerst sei nur gesagt, dass es deren 24 sind. Nachfolgend finden Sie eine Auflistung dieser Stärken. Bevor Sie sie sich anschauen, überlegen Sie sich kurz, welche Eigenschaften Sie selbst generell als Charakterstärken bezeichnen würden. Sind Ihnen mindestens fünf in den Sinn gekommen, lesen Sie die Aufzählung durch. Wenn Sie wollen, können Sie sich bei jeder Charakterstärke kurz überlegen, wie stark diese Stärke bei Ihnen selbst ausgeprägt sein könnte – gemäss Ihrer (natürlich sehr subjektiven) Selbsteinschätzung.

Als kleine Nebenbemerkung aus der Psychologie des Lernens: Wenn Sie in einem ersten Schritt Charakterstärken selbst erdenken, führt das mit grosser Wahrscheinlichkeit dazu, dass Sie sich zu einem späteren Zeitpunkt an mehr Stärken erinnern können, weil Sie die Worte auf diese Art und Weise hinsichtlich ihrer Bedeutung verarbeiten und nicht bloss durchlesen. Anschliessend werde ich auf einen Aspekt eingehen, den ich äusserst bemerkenswert finde. Hier nun aber zunächst die versprochene Liste:

**Die 24 Charakterstärken
(in alphabetischer Reihenfolge):**

Begeisterungsfähigkeit
Dankbarkeit
Demut
Durchhaltewille
Fähigkeit zu lieben
Fairness
Freundlichkeit
Führungsvermögen
Humor
Integrität
Kreativitat
Liebe zum Lernen
Neugier
Optimismus
Selbstregulation
Sinn für Schönheit
Soziale Intelligenz
Spiritualität
Tapferkeit
Teamfähigkeit
Umsicht
Urteilsvermögen
Vergebungsbereitschaft
Weitsicht

Im Rahmen der Glücksseminare, die ich in den letzten
Jahren gehalten habe, habe ich die Teilnehmer jeweils

ebenfalls gebeten, sich zu überlegen, welche Charakterstärken es ihrer Meinung nach gibt, bevor ich die Liste präsentiert habe. Dabei stellte ich wiederholt fest, und daher gehe ich nun ebenso davon aus, dass der Mehrheit der Leser Stärken wie beispielsweise Führungsvermögen, Teamfähigkeit, Durchhaltewille oder soziale Intelligenz eher in den Sinn gekommen sein dürften als zum Beispiel Bescheidenheit, Dankbarkeit, Sinn für Schönheit, Spiritualität oder Umsicht. Das könnte damit zusammenhängen, dass in einem Kulturkreis bestimmte Charakterstärken stets als besonders wünschenswert gelten. Man denke hier beispielsweise an Stelleninserate, die in unseren Breitengraden typisch sind. Im Gegensatz dazu sind es aber die emotionalen und im zwischenmenschlichen Kontext bedeutsamen Stärken Optimismus, Begeisterungsfähigkeit, Dankbarkeit, die Fähigkeit zu lieben und Neugier, die die stärksten Zusammenhänge mit der Lebenszufriedenheit aufweisen.[10] Dass es sich dabei, abgesehen vielleicht von Neugier, nicht um Stärken handelt, die typischerweise in schulischen Kontexten gefördert werden, fällt auf. Abgesehen davon können jedoch alle 24 Charakterstärken als Eigenschaften betrachtet werden, deren Anwendung zu einem erfüllten Leben beiträgt – nur tun sie das eben nicht in gleichem Masse. Neugier meint übrigens im positiven Sinn das Interesse an Neuem.

Aus persönlichkeitspsychologischer Perspektive unterliegen Charakterstärken ebenso wie andere Persönlichkeitsmerkmale interindividuellen Unterschieden. Das heisst, dass es humorvollere, spirituellere oder mutigere Menschen gibt, ebenso wie zum Beispiel extravertiertere, offenere oder neurotischere Menschen. Falls Sie in Erfahrung bringen möchten, welche Charakterstärken bei Ihnen besonders ausgeprägt sind, können Sie sie auf *www.charakterstaerken.org* ermitteln, was rund eine Dreiviertelstunde in Anspruch nehmen wird. Die Fachrichtung Persönlichkeitspsychologie und Diagnostik des Psychologischen Instituts der Universität Zürich stellt diese Internetseite frei zur Verfügung. Die fünf Stärken, die besonders stark ausgeprägt sind, werden übrigens *Signaturstärken* genannt. Erfreulicherweise ist auf dieser Seite auch eine Fragebogen-Version für Kinder und Jugendliche zu finden. Zusätzlich finden Sie dort eine Rangliste, die Ihre persönlichen Stärken mit den Stärken von Angehörigen Ihres Geschlechts und Ihrer Alterskategorie vergleicht, und Informationen zur genaueren Beschreibung der einzelnen Stärken.

Seit es die deutschsprachige Version dieses Fragebogens gibt, habe ich an diversen Onlineuntersuchungen der Universität Zürich teilgenommen und kenne deshalb mein Charakterstärken-Profil ausgesprochen gut. Das hat mein Leben zweifelsohne positiv beeinflusst, und ich empfehle Ihnen warmstens, Ihr Stärkenprofil ebenfalls zu ermitteln. Es könnte sein, dass bei Ihnen gewisse Stärken besonders stark ausgeprägt sind, derer Sie sich gar nicht bewusst sind. Mit Freude erinnere ich mich in dem Zusammenhang an den Austausch mit einer Bekannten, die auf meinen Rat hin ihr Charakterstärken-Profil ermittelte, mich anschliessend anrief und ziemlich verdutzt sagte: »Du, ich habe Spiritualität auf Rang eins.« Es stellte sich heraus, dass sie sich nicht bewusst war, dass sie offenbar sehr spirituell ist. Womöglich war es diese Erkenntnis, die sie so sehr prägte, dass sie später ihr berufliches Glück im Bereich der spirituellen Beratung fand.

Was dieses Beispiel schön veranschaulicht, wird durch eine wissenschaftliche Studie untermauert: Wendet man eigene Signaturstärken in neuen Kontexten und auf neuartigen Wegen an, erhöht das das Glücklichsein – und es wirkt darüber hinaus sogar Depressivität entgegen.[11] Kennen Sie Ihre Signaturstärken, können Sie sie also gezielt kultivieren. Vielleicht sind Humor, Kreativität und Freundlichkeit Signaturstärken von Ihnen? Dann könnten Sie versuchen, diese Stärken nicht nur im Rahmen Ihrer sozialen Beziehungen und Ihrer Freizeitaktivitäten zum Ausdruck zu bringen, sondern auch, wenn Sie Ihrer Erwerbstätigkeit nachgehen. Wenn Sie sich dieser Möglichkeit erst einmal bewusst sind, dürfte es kein Problem sein, das in die Tat umzusetzen. Denn wenden Menschen ihre Signaturstärken an, empfinden sie das typischerweise als sehr authentisch, also als etwas, das ihrem wahren Selbst entspricht. Es liegt dann eine starke, von innen gesteuerte (intrinsische) Motivation vor, die eigenen Signaturstärken zum Ausdruck zu bringen: Man muss jemandem nicht sagen, er solle seine Stärken anwenden, oder ihn gar dazu zwingen – es ist ihm ein natürliches Bedürfnis, sie einzusetzen. Deshalb bietet es sich an, das eigene Repertoire an Situationen und Wegen zu erweitern, um diese Stärken auszuleben. Es versteht sich aus den genannten Gründen beinahe von selbst, dass Signaturstärken ungemein potente Ressourcen darstellen, um das Glücklichsein positiv zu beeinflussen.[12]

Es wird Sie wohl nicht überraschen, dass seit dem Ausbruch von Corona auch eine Reihe von Untersuchungen durchgeführt wurde, um zu eruieren, welche Rolle Charakterstärken dabei spielen, wie Menschen psychisch beziehungsweise emotional auf das Virus reagieren. Darauf, dass Menschen mit der Signaturstärke Optimismus die Coronakrise besser bewältigen konnten und mit erhöhter Wahrscheinlichkeit posttraumatisches Wachstum erlebten, bin ich im vorigen Kapitel bereits eingegangen. Im Sommer 2020 wurden in einer anderen Studie die Charakterstärken von Teilnehmern aus Deutschland, Österreich und der Schweiz gemessen und mit den Werten derselben Personen verglichen, die bereits rund eineinhalb Jahre zuvor erfasst worden waren. Im Vergleich von der ersten zur zweiten Erhebung der Charakterstärken zeigte sich, dass posttraumatisches Wachstum gehäuft bei solchen Probanden beobachtet wurde, die von einem Anstieg der Stärke Spiritualität berichteten. Kraft aus dieser Zeit schöpfen und persönliche Entwicklungsprozesse anstossen konnten also insbesondere solche Menschen, die bedingt durch die Coronakrise verstärkt an einen höheren Sinn des Lebens zu glauben begannen. Und weiter?

In einer älteren Sammlung von Notizen für das vorliegende Buch habe ich unter anderem »eine Lek-

tion in Demut« vermerkt. Dies, weil es mir bereits vor
meinen Recherchen plausibel erschien, dass Menschen
eine gewisse Demut entwickeln könnten, aufgrund der
Gefahr durch das Virus und der damit verbundenen Unsicherheiten auch bezüglich politischer und wirtschaft-
licher Entwicklungen. Genau das zeigte sich in der zuvor
genannten Studie sowie weiter, dass die Teilnehmenden
zwischen 2018 und 2020 wohl primär aus Angst vor
einer möglichen Infektion umsichtiger beziehungsweise
in ihrem Alltag vorsichtiger wurden.[13] Über die Effekte
von spezifischen Charakterstärken hinaus wurde in einer
chinesischen Studie mit über 600 Jugendlichen gezeigt,
dass hoher Stress während Corona zwar im Zusammenhang mit dem Auftreten von Symptomen einer Depression in Verbindung stand – diese Symptome jedoch abgeschwächt wurden, wenn eine hohe Ausprägung von Charakterstärken vorhanden war, die über alle 24 Stärken
hinweg gemessen wurde. Das war besonders dann der
Fall, wenn die Studienteilnehmer von überdurchschnitt-
lich viel Stress berichteten.[14] Das heisst also, dass Charakterstärken während Krisenzeiten wie Corona über das
Potenzial verfügen, gerade im Fall von viel Stress vor psychischen Erkrankungen zu schützen.

Ebenso wie positive Emotionen sind Charakterstärken also dem Glücklichsein förderlich. Doch nicht nur
das, beide erleichterten den Umgang mit der Coronakrise. Dass positive Emotionen und Charakterstärken
eng miteinander verknüpft sind[15], wird mit Blick auf
die Stärken Optimismus, Neugier oder Dankbarkeit klar,

da diese ein häufiges Erleben der positiven Emotionen Hoffnung, Interesse und Dankbarkeit sehr wahrscheinlich machen. Später werde ich eine Auswahl an Übungen vorstellen, mit deren Hilfe unter anderem Optimismus oder Dankbarkeit kultiviert werden können.

Um dieses Kapitel abzurunden, sei darauf hingewiesen, dass die 24 Charakterstärken als Mittel zur Erlangung von sechs Tugenden betrachtet werden: Weisheit und Wissen, Menschlichkeit, Mässigung, Gerechtigkeit, Mut und Transzendenz. Beispiele von Charakterstärken sind bei der Tugend Weisheit und Wissen Urteilsvermögen und Weitsicht, bei Menschlichkeit die Fähigkeit zu lieben und Freundlichkeit, bei Mässigung Demut und Umsicht, bei Gerechtigkeit Fairness und Teamfähigkeit, bei Mut Tapferkeit und Durchhaltewillen und bei der Tugend Transzendenz sind Beispiele für Charakterstärken Spiritualität und Optimismus. In einer Studie wurde ermittelt, dass die genannten sechs Tugenden in den Schriften verschiedenster philosophischer und religiöser Traditionen immer wieder zu finden sind – genannt wurden hier unter anderem der Taoismus, der Islam, das Christentum oder der Buddhismus.

Auf der Basis dieses Befundes wird davon ausgegangen, dass diese Tugenden sowohl seit langer Zeit wie auch kulturübergreifend als wichtig und erstrebenswert betrachtet werden, nicht nur im amerikanischen Kulturkreis des 21. Jahrhunderts, in dem das Klassifikationssystem der Charakterstärken entstand.[16] Am Schluss dieses Kapitels stelle ich folgende Überlegung in den Raum:

Wie weiter oben ausgeführt, wurden infolge der Coronakrise diejenigen beiden Tugenden kultiviert, die uns zu Zurückhaltung mahnen sowie vor Gefahren schützen (Mässigung via Demut und Umsicht) und uns in sinnstiftender Weise etwas Höherem näherbringen, das über unser Ego hinausgeht (Transzendenz via Spiritualität und Optimismus).

2.2 Werte und Ziele: Es kommt darauf an, was Sie wollen – und wieso

Hat sich seit dem Ausbruch von Corona etwas daran geändert, was Ihnen in Ihrem Leben wichtig ist? Konnten Sie ab dem Frühjahr 2020 mehr Zeit mit Ihrer Familie verbringen und sich daran freuen? Oder lernten Sie, falls Sie davon betroffen waren, die Arbeit von zu Hause aus zu schätzen? Wurde Ihnen Ihre Gesundheit wichtiger? Wie Sie sich wohl gut vorstellen können – und wie ich nachfolgend darlegen werde – hat das Virus einen Einfluss darauf ausgeübt, was Menschen in ihrem Leben wichtig ist. In Neuseeland wurde in einer gross angelegten Studie untersucht, wie sich die Werte der Bevölkerung während Corona veränderten.

Die erste Befragung fand im April 2020 statt und die Teilnehmer schätzten ihre Werte von vor dem Ausbruch des Virus rückblickend ein: 53 Prozent der Neuseeländer galt Freiheit im April 2020 als sehr wichtig, gefolgt von der Möglichkeit zu reisen (41 %), Gesundheit (40 %), sozialen Beziehungen (39 %) und Wahlfreiheiten (30 %). Es wird Sie wohl kaum überraschen, dass seit dem Lockdown die Bewertung der Wichtigkeit von Gesundheit um 14 Prozentpunkte auf 54 Prozent hochgeschnellt ist. Andere Werte, deren zugeschriebene Wichtigkeit seit dem Lockdown deutlich anstieg, sind Freundlichkeit und Zeit zum Nachdenken (jeweils 14 % Anstieg), soziale Beziehungen (von 39 % auf 49 %) sowie Spiritualität/Glaube (5 % Anstieg). Deutlich zurück gingen demgegenüber die Wichtigkeit von Freiheiten (11 % Rückgang), die Möglichkeit zu reisen (–21 %), Wahlfreiheiten (–9 %) und Spass zu haben (–7 %), was nicht verwundert aufgrund der durch das Virus bedingten neuartigen Situation und der damit einhergehenden Einschränkungen.

Einige weitere Werte, deren zugeschriebene Wichtigkeit bereits vor Corona nicht sehr hoch war, verzeichneten weitere Rückgänge, namentlich Erfolg zu haben (–5 %) sowie über materiellen Besitz zu verfügen. Die Wichtigkeit des letztgenannten Wertes sank kurzfristig, das heisst, während des Lockdowns im Vergleich zu davor nur um einen Prozentpunkt. In den Monaten August und November 2020 fanden wiederholte Befragungen statt. Bis zu diesem Zeitpunkt halbierte sich die Wichtigkeit von materiellem Besitz im Vergleich zu vor Corona von 6 auf 3 Prozent.[1] Dieser Effekt entfaltete sich also über Monate hinweg und blieb bis über ein halbes Jahr nach dem Ausbruch des Virus bestehen. Schauen wir uns an, wie diese Ergebnisse basierend auf bisherigen Befunden aus der Werteforschung eingeordnet werden können.

Die Frage, was Menschen im Leben wichtig ist und welche Ziele sie anstreben, ist aus der Perspektive der Glücksforschung von hoher Bedeutung, da diese beiden Faktoren in einem starken Zusammenhang mit dem Glücklichsein stehen. Hierzu wurden in den 90er-Jahren einige klassische Studien durchgeführt. Den Versuchsteilnehmern wurden Listen mit Werten und Zielen vorgelegt und sie sollten, wie in der neuseeländischen Untersuchung, einschätzen, wie wichtig sie ihnen sind. Die erfassten Werte und Ziele können auf einer grundlegenden Ebene in die zwei Kategorien *intrinsich* und *extrinsisch* unterteilt werden.

Intrinsische Werte und Ziele sind solche, die inneren psychologischen Bedürfnissen entspringen. Zentral dabei sind die drei Dimensionen *Verbundenheit mit anderen*, *Gemeinschaft* sowie *persönliche Entwicklung*. Diese Werte werden erfasst durch die Zustimmung zu Aussagen wie »Es ist mir wichtig, Freunde zu haben, auf die ich mich verlassen kann«, »Es ist mir wichtig, mein Leben mit jemandem teilen zu können, den ich liebe« (beide *Verbundenheit mit anderen*), »Es ist mir wichtig, andere dabei zu unterstützen, dass sich ihr Leben verbessert«, »Es ist mir wichtig, daran zu arbeiten, dass die Welt zu einem besseren Ort wird« (*Gemeinschaft*) oder »Es ist mir wichtig zu wissen und akzeptieren zu können, wer ich wirklich bin« beziehungsweise »Es ist mir wichtig, am Ende meines Lebens zurückblicken und dieses als sinnerfüllt und vollständig betrachten zu können« (*persönliche Entwicklung*).

Extrinsische Werte und Ziele werden von aussen gesteuert. Zentral sind hier finanzieller Erfolg, Attraktivität und Popularität. Die Befunde dazu sind klar: Unglücklich macht das Verfolgen und Anstreben von extrinsischen Werten und Zielen, worauf ich im Kapitel zum Thema Glücksfallen zurückkommen werde – es sind die intrinsischen Werte und Ziele, die glücklich machen.[2, 3, 4] Interessant dabei ist, dass diejenigen Werte, deren Wichtigkeit seit dem Ausbruch von Corona angestiegen ist, intrinsische Werte sind: Der Anstieg der zugeschriebenen Wichtigkeit von Freundlichkeit und sozialen Beziehungen gehört zu den Dimensionen Verbundenheit mit anderen sowie Gemeinschaft, die Werte Zeit zum Nachdenken und Spiritualität/Glaube können dem Aspekt der persönlichen Entwicklung zugeordnet werden.

Also auch wenn – oder vielleicht gerade weil – viele Menschen auf dem ganzen Globus unter den Auswirkungen von Corona zu leiden hatten, besann sich offenbar zumindest die neuseeländische Bevölkerung auf Werte zurück, die glücklich machen: auf andere Menschen und unsere Verbindung zu ihnen sowie auf solche Werte, die unserer persönlichen Entwicklung dienlich sind. Es passt ins Gesamtbild, dass die Wichtigkeit von materiellem Besitz, einer typisch extrinsischen Wertehaltung, in der zweiten Hälfte des Jahres 2020 auf die Hälfte des Wertes von vor dem Lockdown sank.

Andere Forschergruppen, die das Glücklichsein im Zusammenhang mit Werten und Zielen erforschten, haben Ziele unter die Lupe genommen, die wir durch unser

Tun anstreben können: *Annäherungs- und Vermeidungsziele*. Erstere fokussieren Ziele, die wir als wünschenswert erachten, wie zum Beispiel diejenigen, die im vorangehenden Abschnitt thematisiert wurden. Im Fall von Vermeidungszielen hingegen richten sich Menschen mental darauf aus, gewisse Dinge zu *vermeiden*. Halten Sie zum Beispiel vor Arbeitskollegen ein Referat, könnten Sie sich das Ziel setzen, gut über Ihr laufendes Projekt zu informieren – oder aber, *nicht* zu versagen. Ebenso hätten Sie sich während Corona zum Ziel setzen können, gesund zu bleiben – oder aber, *nicht* krank zu werden. Interessant dabei ist, dass diese Ziele prinzipiell durch dasselbe Verhalten erreicht werden können: Gut über das laufende Projekt zu informieren oder nicht zu versagen durch gewissenhafte Vorbereitung auf das Referat, gesund zu bleiben oder nicht zu erkranken durch Einhalten der bekannten Vorgaben wie zum Beispiel durch regelmässiges Händewaschen. Um das eigentliche Verhalten geht es in dem Zusammenhang demnach nicht, sondern um die *Perspektive*, die wir dem angestrebten Ziel gegenüber einnehmen. Und das hat Konsequenzen: Das Anstreben von Annäherungszielen macht glücklich, das Anstreben von Vermeidungszielen unglücklich.[5] Damit sehen wir einmal mehr, dass entscheidend für unser Glück weniger die Dinge sind, wie sie sich uns objektiv beschreibbar präsentieren, sondern die Art und Weise, wie wir uns zu ihnen geistig positionieren. Es ist die Haltung, die zählt.

Die Basis dessen, was uns wichtig ist, sind also Werte und zwischen diesen Werten und dem Glücklichsein bestehen Zusammenhänge. Was wir in unserem Leben Tag ein, Tag aus tun, wird aber nicht nur durch Werte gesteuert: Es gibt auch Dinge, die wir aus reiner Freude und aus Interesse an einer Sache tun. Manchmal kommt es auch vor, dass Menschen bestimmte Verhaltensweisen zeigen, weil sie sich durch äussere Umstände dazu gezwungen fühlen. Nicht wenigen dürfte es beispielsweise beim Ausfüllen der Steuererklärung so gehen. Ebenso kann es vorkommen, dass wir bestimmte Dinge tun, um unangenehme Gefühle wie Scham, Schuld, Sorge oder das altbekannte schlechte Gewissen zu vermeiden. Zum Beispiel, wenn wir mal wieder einen nicht sonderlich geliebten Verwandten besuchen »müssen« oder mit jemandem ausgehen, um ihm unser Desinteresse möglichst schonend zu kommunizieren. Menschen können ein bestimmtes Verhalten aus unterschiedlichsten Gründen zeigen. Und diese von uns selbst wahrgenommenen Gründe für unser Verhalten sind für unser Glück äusserst wichtig.

Vor einigen Jahren gab ich ein Interview für die Mitarbeiterzeitung einer Schweizer Firma. Dabei wurde ich unter anderem gefragt, was Menschen glücklich macht. Das ist einerseits natürlich eine zentrale und absolut berechtigte Frage an den Glücksforscher, andererseits könnte darüber allerdings ausgesprochen viel gesagt werden. Viel mehr, als im Rahmen dieses Interviews Platz gefunden hätte. Schliesslich geht es auch in diesem Buch nicht zuletzt um ebendiese Frage, und dabei handelt es sich nun beileibe auch nicht um das erste Werk zu diesem

Thema. Ich hatte in diesem Interview eine relativ kurze Antwort parat: Uns machen solche Aktivitäten am glücklichsten, bei denen wir uns voll engagieren können und in denen wir einen tieferen Sinn erkennen; dabei spielen die drei zentralen Bereiche des Lebens eine grosse Rolle – soziale Beziehungen, Erwerbstätigkeit und Freizeitaktivitäten. Als ich das sagte, hatte ich die wahrgenommenen Gründe für unser Verhalten zwar im Hinterkopf, habe sie jedoch nicht erwähnt, weil die Antwort ja kurz sein sollte. Aber diese Gründe sind wie gesagt äusserst wichtig. Wenn wir uns bei einer Tätigkeit »voll engagieren« können und darin einen »tieferen Sinn erkennen«, tun wir diese Dinge, weil wir uns durch äussere Umstände dazu gezwungen fühlen? Oder weil wir dadurch unangenehme Gefühle vermeiden wollen? Widerstreben uns solche Tätigkeiten? Natürlich nicht. Engagierend und sinnstiftend sind vielmehr Dinge, die wir aus Freude und Interesse tun, die uns wichtig sind und mit denen wir uns identifizieren können.

Die aus der Motivationspsychologie stammende sogenannte Theorie der *Selbstbestimmung* unterscheidet hier, ob die wahrgenommenen Ursachen für unser Handeln in der Person selbst oder aber ausserhalb von ihr verortet werden können. Sie spricht dem Selbst auf dem Weg zu einem glücklichen Leben eine zentrale Rolle zu und betont die Wichtigkeit des Denkens und Handelns aus Motiven, die im Selbst angelegt sind. Fühlen wir uns durch äussere Umstände dazu gezwungen, gewisse Dinge zu tun, liegen diese Ursachen natürlich ausserhalb – und ebenso, aber in etwas geringerem Ausmass, wenn wir darauf aus sind, durch unser Handeln unangenehme Gefühle zu vermeiden. Ist uns unser Handeln hingegen wichtig und können wir uns damit identifizieren, verschieben sich die wahrgenommenen Gründe nach innen. Machen wir Dinge schliesslich aus reiner Freude und tiefem Interesse, werden wir das im extremsten (positiven) Fall so erleben, dass dieses Tun unserem innersten Kern zu entspringen scheint. Genau, das war die intrinsische Motivation. Je mehr die wahrgenommenen Gründe für unser Verhalten im Innen und nicht im Aussen liegen, desto mehr steht dieses Verhalten im Einklang mit unseren wahren Bedürfnissen, Werten und Interessen.[6] Und je stärker das der Fall ist, so zeigen Befunde, desto eher erreichen wir die Ziele, die wir uns im Zusammenhang mit diesen Aktivitäten gesetzt haben. Das Erreichen solcher Ziele macht uns zudem glücklicher, als wenn wir Ziele erreichen, die uns (eher) als von aussen auferlegt erscheinen.[7] Es lohnt sich demnach, von innen heraus zu bestimmen, welche Ziele wir uns im Leben setzen und anstreben.

Die vier zuvor erwähnten Arten der wahrgenommenen Gründe für unser Tun erlauben die Bestimmung der sogenannten *Selbstkonkordanz*. Sie drückt aus, in welchem Ausmass diese Gründe mit unseren eigenen Werten, Bedürfnissen und Interessen im Einklang stehen. Überlegen Sie sich zur Illustration dieses Konzeptes, was Sie antworten würden, wenn Sie gefragt würden, wieso Sie Ihrer aktuellen (oder Ihrer letzten) Erwerbstätigkeit nachgehen. Nachfolgend sind vier Aussagen vermerkt und Sie können bei jeder einzeln einschätzen, ob Sie das »0 = überhaupt nicht aus diesem Grund«, »1 = ein wenig aus diesem Grund«, »2 = aus diesem Grund« oder »3 = in sehr starkem Ausmass aus diesem Grund« tun.

Ich gehe meiner aktuellen (oder ging meiner letzten) Erwerbstätigkeit nach, weil …

1. … ich es sehr gerne tue und es interessant finde.

2. … es mir wichtig ist und ich mich damit identifizieren kann.

3. … ich mich schlecht fühlen würde, wenn ich es nicht täte. Ich zwinge mich dazu.

4. … jemand anderes es will oder weil die Situation es verlangt.

Zur Ermittlung Ihrer Selbstkonkordanz addieren Sie Ihre Werte bezüglich der beiden ersten Aussagen und ziehen die Summe Ihrer Bewertung der dritten und vierten Aussage ab. Maximal kann die Selbstkonkordanz demnach $(3+3)-(0+0) = 6$ betragen, minimal $(0+0)-(3+3) = -6$. Je höher der Wert ist, desto glücklicher dürfte Sie Ihre Erwerbstätigkeit machen.

Natürlich könnten Sie diese vier Aussagen zum Beispiel auch bezogen auf soziale Beziehungen, die Sie pflegen, oder bezogen auf Freizeitaktivitäten beurteilen. Ich hatte mich hier für das Beispiel der Erwerbstätigkeit entschieden, weil ich darauf gleich wieder zurückkomme. Abgesehen davon ist es meines Erachtens so, dass die Selbstkonkordanz eines der wichtigsten Konzepte der

Glücksforschung darstellt. Das hat nichts mit Egoismus zu tun, wie nun eingewendet werden könnte – auch unser Umfeld kann von einer hohen Selbstkonkordanz der Dinge profitieren, die wir in unserem Leben tun: Der Ehepartner oder der Chef wird sich freuen, wenn Sie Ihre Ehe führen oder Sie Ihrer Erwerbstätigkeit nachgehen, weil es Ihnen Freude macht, weil es Sie interessiert, es Ihnen wichtig ist und Sie sich wahrlich damit identifizieren können. Tun Sie diese Dinge nur, weil Sie sich schlecht fühlen würden, wenn Sie sie nicht täten oder weil Sie sich durch äussere Umstände dazu gezwungen fühlen, so dürfte das sowohl zu Hause als auch bei der Arbeit wohl eher negativ auffallen. Es ist demnach für Sie und für Ihr soziales Umfeld eindeutig besser, wenn Sie in den drei zentralen Lebensbereichen soziale Beziehungen, Arbeit und Freizeitaktivitäten aus Ihrem Inneren heraus agieren und nicht geleitet durch äussere Umstände oder Zwänge.

Während meiner Zeit als Assistent an der Universität Bern widmete ich mich gemeinsam mit Studierenden der weiteren Erforschung der Selbstkonkordanz. Basierend auf den soeben geschilderten Zusammenhängen untersuchten wir, ob das Glücklichsein durch das Führen eines Tagebuchs über selbstkonkordante Tätigkeiten erhöht werden kann. Ich hatte nämlich die Vermutung, dass dadurch Gefühle der Dankbarkeit und der Wertschätzung für solche Aktivitäten gefördert werden könnten sowie Verhalten, das im Zusammenhang mit ihnen steht. Letzteres beispielsweise dadurch, dass diesen Tätigkeiten infolge des Schreibens (noch) mehr Zeit und Herzblut gewidmet wird.

Die Versuchsteilnehmer notierten im Rahmen dieser Studie zunächst zehn Dinge, die sie regelmässig tun, beispielsweise bestimmte Freundschaften, die sie pflegten, oder Hobbys, denen sie nachgingen. Anschliessend wurde mittels der weiter oben genannten vier Aussagen die Selbstkonkordanz dieser Tätigkeiten ermittelt, und es folgte die Anweisung, in den kommenden Tagen über jeweils eine der vier Aktivitäten mit der höchsten Selbstkonkordanz zu schreiben. Dabei war die Idee, dass die Teilnehmer sich geistig und Glück bringend mit der Vergangenheit, Gegenwart und (möglichen) Zukunft bezogen auf diese Dinge verbinden. Sie wurden dementsprechend gebeten, darüber zu schreiben, 1) wie sich ihre Beziehung dazu entwickelt hat und ob sie sich an eine entsprechende erste Begegnung oder ein Schlüsselerlebnis erinnern können, 2) mit welchen konkreten Gedanken und Gefühlen diese Aktivität in Verbindung gebracht wird und 3) ob sie irgendwelche Pläne oder Ziele für die Zukunft hätten, die sie in Bezug auf diese Tätigkeit verfolgen möchten. Falls möglich, ist es im Rahmen von solchen Untersuchungen übrigens sinnvoll zu überprüfen, ob die Teilnehmer die Instruktionen genau befolgen.

Ich erinnere mich gern daran zurück, wie ich zu diesem Zweck die anonymen Tagebücher der immerhin doch 48 Personen durchlas, die an dieser Studie teilnahmen. Da wurde über den ersten Besuch eines Fussballspiels des BSC Young Boys im geschichtsträchtigen alten Wankdorfstadion zu Bern geschrieben, die Freude und Befriedigung, die die Stelle im Ausbildungssektor brachte, oder die Zukunftspläne, die gemeinsam mit dem geliebten Schatz geschmiedet wurden. Möglicherweise war diese Lektüre für mich so erhebend, dass sie damals ein bisschen auch zu meinem Glück beitrug. Die Übung erwies sich jedenfalls für die Teilnehmer als wirksam: Diejenige Gruppe, die sie absolvierte, berichtete von einem Glücksgewinn und sogar noch drei Monate später von höheren Glücklichkeitswerten als zuvor.[8] Was die Teilnehmer also an Zeit für diese Intervention investierten, insgesamt kaum mehr als eine Stunde, hatte noch 90 Tage später einen positiven Einfluss auf ihr Befinden. Später werde ich auf Übungen zu sprechen kommen, die sich in ähnlich angelegten Studien mit ebenso bemerkenswerten Effekten als wirksam herausgestellt haben, um das Glücklichsein nachhaltig zu erhöhen.

2.2.1 Nach innen gehen

Eines meiner Lieblingszitate stammt von Neale Donald Walsch. Es lautet: »Wenn du nicht nach innen gehst, dann gehst du leer aus.«[1] Es ist rund eineinhalb Jahrzehnte her, seit ich dieses Zitat zum ersten Mal las. Es hat mich von Beginn an sehr angesprochen und ich habe es bis zum heutigen Tag nicht vergessen. Als ich mich mit der Glücksforschung auseinanderzusetzen begann, wurde mir immer klarer, wie viel Wahrheit in diesem einen Satz steckt. Nach der Lektüre des vorangehenden Kapitels werden Sie vielleicht nachvollziehen können, weshalb ich das so sehe. Das Zitat hat etwas Provokatives, aber es beschreibt im Prinzip das Folgende: Wir können das, was wir in unserem Leben tun, nach unseren eigenen inneren Bedürfnissen, Werten und Interessen ausrichten, oder aber uns von Werten und Erwartungen steuern lassen, die von aussen auferlegt sind. Welcher Weg Glück bringt und welcher nicht, ist klar. Bei der Lektüre von wissenschaftlichen Quellen sowie von solchen, die als spirituell, religiös oder esoterisch bezeichnet werden könnten, fiel mir auf, dass die Idee des Nach-innen-Gehens (wohl, um eben nicht leer auszugehen) nicht nur wie im Zitat von Walsch, sondern auch im Buddhismus oder bei den christlichen Mystikern eine zentrale Rolle spielt. In der Bibel steht: »Das Reich Gottes ist inwendig in euch.« (Lukas, 17:21) Aristoteles, einer der ersten und zugleich wichtigsten Glücksforscher, wies ebenfalls auf die Bedeutung des Daimons (nicht zu verwechseln mit dem furchteinflössenden Dämon), auf das wahre Selbst des Menschen und sein innewohnendes Potenzial hin, das unserer Schicksalsbestimmung dient und dessen Verwirklichung grösstmögliche Erfüllung bringen soll.[2]

Bei den soeben genannten Quellen und Zitaten wird also direkt oder indirekt dazu aufgefordert, nach innen zu gehen. Und das ist nun eben auch aus der Perspektive der psychologischen Forschung eine wichtige Empfehlung. Im vorangehenden Kapitel hatte ich ja die Selbstbestimmungstheorie und das Konzept der Selbstkonkordanz vorgestellt, die dem Innen (versus Aussen) als Antriebsfeder unseres Tuns zentrale Bedeutung auf dem Weg zum

Glück zuschreiben. In meinen eigenen Worten zusammengefasst: »Gehe nach innen, finde heraus, was dort ist, und handle entsprechend den dort aufzufindenden Wünschen, Talenten und Bedürfnissen. Dann wirst du glücklich.« Das mag für einige Leser vielleicht beinahe zu simpel klingen. Bewusst frage ich etwas ketzerisch: Aber was geschieht mit Menschen, die nach innen gehen, um in Erfahrung zu bringen, was ihnen Freude bereitet und womit sie sich wahrlich identifizieren können, bloss um dann festzustellen, dass niemand zu Hause ist?

Auf dieses mögliche Problem deuten Befunde hin, die zeigen, dass Menschen Dinge häufig primär tun, um Anerkennung und Prestige zu erhalten, ihren Einfluss zu erweitern, und natürlich auch: um viel Geld zu verdienen. Dagegen ist prinzipiell nichts einzuwenden, aber wer primär nach solchen Motiven lebt, die nicht im Innen, sondern im Aussen verortet werden können, der läuft Gefahr, dass er seine eigene innere Stimme nicht hört. Diese Stimme würde womöglich etwas anderes sagen und tun wollen, als es im Leben dieses Menschen der Fall ist. Was die innere Stimme eines Menschen jedoch »sagt«, und das ist doch eigentlich das Schöne, kann nur der betreffende Mensch selbst wirklich wissen, auch wenn andere das noch so eifrig zu beurteilen versuchen. Es setzt eben einfach voraus, dass die eigene Stimme gehört wird.

Im vorangegangenen Kapitel hatte ich gezeigt, dass Corona dazu geführt hat, dass den Menschen die Zeit zum Nachdenken wichtiger wurde. Nachdenken worüber? Das geht aus der neuseeländischen Studie nicht hervor. Ich könnte mir aber gut vorstellen, dass die viele Zeit, die als Folge der Lockdowns zu Hause verbracht wurde, dazu genutzt wurde oder dazu geführt hat, dass die Menschen gewisse Dinge hinterfragt haben, die das eigene Leben betreffen. Ist das bei Ihnen geschehen und hat es vielleicht dazu geführt, dass Sie die Zeit mit Ihrer Familie vermehrt so richtig geniessen konnten und Sie sich deshalb vorgenommen haben, sich auch nach Corona mehr Zeit für Ihre Liebsten zu nehmen? Oder dass Sie nun freiwillig auf der Suche nach einer neuen Erwerbstätigkeit sind, die Sie mehr befriedigt als Ihre bisherige Arbeit? Oder haben Sie sich während Corona vielleicht von gewissen Menschen distanziert, weil Sie gemerkt haben, dass man sich eigentlich gar nicht (mehr) so viel zu sagen hat, und Sie haben dafür neue Freunde gewonnen? Das wäre ganz im Sinne der Glücksforschung.

Faszinierend finde ich an den entsprechenden Befunden auch, dass sie darauf hindeuten, dass es im Prinzip keine Rolle spielt, was Sie konkret tun, wenn Sie Ihre sozialen Kontakte pflegen, Ihrer Erwerbstätigkeit nachgehen und Ihre Hobbys pflegen. Wichtig ist (solange Sie dadurch anderen nicht schaden) im Prinzip nur, dass dieses Tun Ihren inneren Bedürfnissen, Wünschen und Talenten entspringt – dann stehen die Chancen sehr gut, dass Ihnen das viel Freude und Befriedigung bringt.

Der bekannte Unternehmer Elon Musk brachte es auf den Punkt: »Menschen sollten Dingen nachgehen, für die sie Leidenschaft empfinden. Das wird sie glücklicher machen als so ziemlich alles andere.« Tun Menschen das, so ist es im sehr Glück bringenden Fall erkennbar am Leuchten in ihren Augen, das sichtbar wird, wenn sie anderen von diesen Dingen berichten. Genannt wird dieser Zustand »vitales Engagement«. Typischerweise ist es bei solchen Tätigkeiten so, dass verschiedene Ebenen des Erlebens stimmig sind: Was man tut, fühlt sich gut und richtig an und steht nicht selten in Verbindung mit Flow-Zuständen, in denen die eigenen Fähigkeiten einerseits und die Anforderungen der Situation andererseits übereinstimmen und die Zeit wie im Fluge zu vergehen scheint.[3] Zudem werden solche Tätigkeiten als hochgradig sinnstiftend beurteilt, wenn eine Metaperspektive eingenommen wird und man darüber nachdenkt, was einem diese Dinge bedeuten und wie sie das eigene Leben bereichern.[4]

Wie finden Menschen zu vitalem Engagement? Nun, einige haben beispielsweise das Glück, dass sie schon sehr früh wissen, was sie später beruflich machen wollen. Einer guten Freundin ging es so: Ihr Wunsch war es seit ihrer Jugendzeit, Psychotherapeutin zu werden. Das ist sie nun schon seit einigen Jahren, aus Leidenschaft. Als ich jung war, wollte ich unter anderem Feuerwehrmann werden. Das und einiges andere, was mir früher vorschwebte, bin ich nicht geworden. Ich erinnere mich auch, dass ich eine Zeit lang Dinosaurierforscher werden wollte. Das mit den Dinosauriern hat zwar nicht geklappt, aber in der Forschung bin ich tatsächlich gelandet und habe unter anderem dort meine Erfüllung gefunden.

Oft entwickeln sich Leidenschaften bereits in der Jugendzeit, wie die vorigen Ausführungen andeuten und Studien zeigen. Neben der Erwerbstätigkeit bieten auch bereichernde soziale Beziehungen und Hobbys ein grosses Potenzial diesbezüglich. Zentrale Merkmale von Leidenschaften sind das Erleben von positiven Emotionen und Flow-Zuständen. Kein Wunder also, dass sie der Lebenszufriedenheit zuträglich sind. Dem Glücklichsein förderliche Leidenschaften werden in der Fachliteratur als *harmonisch* bezeichnet und von *zwanghaften* Leidenschaften unterschieden, wie zum Beispiel Spiel-, Internet- oder Arbeitssucht, denn Menschen können durchaus auch Letztere entwickeln. Ist eine Leidenschaft jedoch harmonisch, haben Sie die Kontrolle darüber, wann Sie sich ihr widmen und wann nicht. Das führt dazu, dass harmonische im Gegensatz zu zwanghaften Leidenschaften üblicherweise nicht mit anderen Dingen in Konflikt stehen, die Sie in Ihrem Leben sonst noch tun.[5] Zum Beispiel sinnstiftende Beziehungen führen. Oder sich zwischendurch Auszeiten gönnen. Oder, mit Blick auf die weiter oben erwähnten Süchte, einfach nur genug schlafen.

Was die Entwicklung von freizeitbezogenen Leidenschaften betrifft, erinnere ich mich an Sommerferien in Spanien Mitte der 90er-Jahre zurück, als ein paar Freunde die spontane Idee hatten, tauchen zu gehen. Einer dieser Freunde, dem das Tauchen bis dahin fremd war, fand so viel Gefallen daran, dass er diesem Hobby heute noch immer leidenschaftlich nachgeht. Auch wenn dieses Ereignis zweieinhalb Jahrzehnte zurückliegt, so sind mir Eindrücke seiner Befindlichkeit an dem Abend nach der ersten Taucherfahrung in meinem Gedächtnis haften geblieben. Man spürte, dass dieses Erlebnis etwas Spezielles in ihm angestossen hatte. Weiter erinnere ich mich – um auf der Zeitachse nach vorn in die jüngere Vergangenheit zu springen – an ein Gespräch mit einem guten Freund im Frühling 2020, der mir freudig mitteilte, wie schön es doch sei, dass er sich während des Lockdowns endlich wieder einmal ausgiebig seinem geliebten Garten widmen könne. Oder an ein Telefonat mit einer Arbeitskollegin eine Woche später, die mir erzählte, dass sie auf die Idee gekommen sei, via Internet ein Puzzle zu kaufen, da sie die früher immer so gern gemacht habe. Diese beiden Beispiele zeigen auf, dass Corona durchaus dazu geführt haben könnte, dass Menschen sich vermehrt auf Dinge zurückbesonnen haben, die sie früher leidenschaftlich gern taten. Und wie das »Taucher-Beispiel« zeigt, kann es sich durchaus lohnen, einfach mal was Neues auszuprobieren. Wem es gelingt, eine solche Haltung weiter zu kultivieren oder vielleicht gerade wegen Corona zu entwickeln, und vermehrt auf seine innere Stimme zu hören, um Erfüllung in Leidenschaften zu finden, macht mit Sicherheit nichts falsch.

2.2.2 Job, Karriere oder … Berufung?

Wenn wir uns vergegenwärtigen, wie viel Zeit die meisten Menschen in ihrem Leben damit verbringen, einer

Erwerbstätigkeit nachzugehen, so dürfte klar werden, dass die Art und Weise, wie wir diese Zeit erleben, einen nicht zu vernachlässigenden Einfluss auf unser Glücklichsein ausübt. Dass dabei primär die Art und Weise, wie jemand seine Erwerbstätigkeit subjektiv wahrnimmt, von entscheidender Bedeutung ist, werde ich in diesem Kapitel darlegen. Mehrfach habe ich in diesem Buch ja bereits darauf hingewiesen, dass es oft weniger der objektive Lebensumstand ist, der für das Glück entscheidend ist, sondern wie wir darüber denken und fühlen, und wie das unser Verhalten steuert. Ziehen wir zur Illustration eines objektiven Lebensumstands die Erwerbsarbeit heran und eine Beschreibung, wie drei fiktive Personen das Verhältnis zu ihrer Arbeit schildern. Lesen Sie die drei nachfolgenden Abschnitte durch und überlegen Sie sich, welche Beschreibung Ihre eigene Haltung zu Ihrer momentanen (oder letzten) Erwerbstätigkeit am besten charakterisieren würde:

Frau A geht ihrer Erwerbstätigkeit in erster Linie nach, um genug Geld zu verdienen, damit sie ihr Leben finanzieren kann. Wenn Frau A finanziell abgesichert wäre, würde sie ihrer derzeitigen Arbeit nicht mehr nachgehen, sondern würde etwas anderes tun. Die Erwerbstätigkeit von Frau A ist für sie im Prinzip eine Lebensnotwendigkeit wie Atmen oder Schlafen. Frau A wünscht sich oft, die Zeit würde schneller vergehen, wenn sie ihrer Arbeit nachgeht. Sie freut sich immer sehr auf Wochenenden und Ferien. Wenn Frau A ihr Leben noch einmal leben könnte, würde sie wahrschein-

lich nicht mehr in derselben Branche tätig sein wollen. Sie würde ihre Freunde und Kinder nicht dazu ermutigen, in denselben Arbeitsbereich einzusteigen, wie sie es tat. Frau A freut sich bereits jetzt sehr darauf, in den Ruhestand zu treten.

Herr B geht seiner Erwerbstätigkeit im Grunde genommen gern nach, aber er rechnet nicht damit, dass er das in fünf Jahren auch noch tun wird. Stattdessen plant er, zu einer besseren, höherwertigen Stelle zu wechseln. Er hat mehrere Ziele in Bezug auf die Positionen, die er zukünftig einnehmen möchte. Manchmal scheint seine Arbeit reine Zeitverschwendung zu sein. Herr B weiss aber, dass er in seiner derzeitigen Position ein gewisses Mass an Leistung bringen muss, um beruflich weiterzukommen. Er kann es kaum erwarten, befördert zu werden. Für Herrn B bedeutet eine Beförderung Anerkennung seiner guten Arbeit. Zudem ist sie ein Zeichen für seinen Erfolg im Wettbewerb mit seinen Mitarbeitern.

Die Erwerbstätigkeit von Frau C ist einer der wichtigsten Aspekte ihres Lebens. Sie freut sich sehr darüber, dass sie in diesem Arbeitsbereich tätig sein kann, denn das, was sie für ihren Lebensunterhalt tut, ist ein wesentlicher Teil ihrer Identität. Ihre Arbeit ist eines der ersten Dinge, von denen sie neuen Bekanntschaften über sich selbst erzählt. Frau C neigt dazu, ihre Arbeit mit nach Hause und auch mit in die Ferien zu nehmen. Die meisten ihrer Freunde stammen von Frau Cs Arbeitsplatz, und sie gehört verschiedenen Organisationen und Clubs an, die mit ihrer Erwerbstätigkeit in Verbindung stehen. Frau C verbindet mit ihrer

Arbeit gute Gefühle, weil sie sie liebt und weil sie glaubt, dass diese Arbeit die Welt zu einem besseren Ort macht. Frau C würde ihre Freunde und Kinder dazu ermutigen, in denselben Arbeitsbereich einzusteigen wie sie. Sie wäre bestürzt, wenn sie dazu gezwungen würde, ihre Arbeit aufzugeben, und sie freut sich nicht besonders darauf, in den Ruhestand zu treten.

Ist unter diesen Beschreibungen eine dabei, die Ihr Verhältnis zu Ihrer Arbeit einigermassen gut beschreibt? Diese Texte stammen aus der Forschung der Arbeitspsychologin Amy Wrzesniewski und ihrem Team. In ihren Studien zeigte sich, dass die meisten Studienteilnehmer keine Mühe damit hatten, sich einer der drei Beschreibungen zuzuordnen. Nach Wrzesniewski beschreiben diese Texte *Arbeitsorientierungen*. Die erste Beschreibung mit der Orientierung »Job« (Frau A) ist gekennzeichnet durch die Notwendigkeit, primär des Geldes wegen einer Erwerbstätigkeit nachzugehen, die nicht als positiver Aspekt des Lebens betrachtet wird. Im Fall einer Karriereorientierung steht das arbeitsbezogene Weiterkommen in hierarchischen Strukturen im Zentrum (Herr B). Berufungsorientierung (Frau C) schliesslich bedeutet, dass hinsichtlich der Erwerbstätigkeit Freude und Erfüllung im Zentrum stehen und man das Gefühl hat, durch seine Arbeit etwas wahrhaft Sinnvolles zu tun. Man fühlt sich eben dazu *berufen* zu tun, was man tut.

Das ist an sich interessant und bemerkenswert, doch zeigte die Studie von Wrzesniewski und ihren Kollegen, dass die Teilnehmer mit Berufungsorientierung nicht nur über eine höhere Arbeitszufriedenheit berichteten als die beiden anderen Gruppen, sondern zudem über eine höhere Lebenszufriedenheit. Wie ich in diesem Kapitel einleitend erwähnte, deutet das darauf hin, dass unsere Erwerbstätigkeit einen wichtigen Teil unseres Lebens ausmacht und deshalb auch zu mehr Zufriedenheit führt – nicht nur bezogen auf die Erwerbstätigkeit, sondern im Leben an sich. Zudem zeigte sich in dieser Untersuchung, dass die Berufungsorientierungs-Gruppe von weniger Abwesenheitszeiten bei der Arbeit berichtete als die beiden anderen Gruppen.[1] Auch das dürfte für Chefs interessant sein zu wissen. Die Befunde dieser Forschergruppe enthalten wichtige Implikationen, die über die Aspekte Arbeits- und Lebenszufriedenheit und Abwesenheiten hinausgehen.

Machen wir uns kurz Gedanken darüber, wie in der Öffentlichkeit zum Beispiel in Verkehrsmitteln oder auf Internetseiten potenzielle neue Mitarbeiter oder Auszubildende angeworben werden. Wird dabei häufiger das Schlagwort Berufung oder Karriere verwendet? Ich nehme an, Sie beurteilen das so wie ich. Natürlich ist gegen das Anstreben einer Karriere nichts einzuwenden, sie bietet ja nicht zuletzt mehr Möglichkeiten, mit der Arbeit Dinge zum Positiven zu verändern. Und dass eine Karriere- und eine Berufungsorientierung miteinander verwoben sein können, wurde bereits erläutert. Andererseits sollte aber meines Erachtens berücksichtigt werden, dass nicht alle Menschen gleichermassen von dem

Wunsch getrieben sind, einflussreich zu sein oder gegebenenfalls auch über (viel) mehr Geld und Prestige zu verfügen als andere.

Was ist mit denjenigen, die das nicht tun und die womöglich auch nicht dieselben Möglichkeiten wie andere haben, beruflich aufzusteigen? Was ist mit Menschen, die in einem Unternehmen in der Administration arbeiten? Ich frage das hier, weil in der vorgestellten Studie 24 Personen untersucht wurden, die in diesem Bereich tätig waren. Auch wenn diese Menschen an verschiedenen Orten arbeiteten, so ist ihr Tätigkeitsfeld homogener, als würde man einen Schreiner mit einer Blumenverkäuferin oder eine Ärztin mit einem Kellner vergleichen. Trotz der ähnlichen Arbeit zeigte sich, dass die Selbsteinschätzungen der administrativen Mitarbeitenden hinsichtlich der Arbeitsorientierungen sehr gleichmässig über die drei Kategorien verteilt waren (»Job«: 9 Personen, »Karriere«: 7, »Berufung«: 8). Also, hinsichtlich der Arbeitsorientierung und damit für die Arbeits- und Lebenszufriedenheit ist die persönliche Haltung zur eigenen Erwerbstätigkeit wichtiger als das, was man bei der Arbeit tatsächlich tut. Diese Aussage ist wissenschaftlich fundiert und ich betone das hier ausdrücklich – besonders vor dem Hintergrund, dass nicht alle Menschen die gleichen Möglichkeiten haben, sich aus- und weiterzubilden. Zudem ist die Wahrnehmung der eigenen Erwerbstätigkeit als Berufung eben nicht an eine höhere Position in einem Betrieb gebunden. Abgesehen davon, dass alle Menschen gute Tage oder auch mal einen schlechten Tag haben können, fallen mir Unterschiede hinsichtlich der Arbeitsorientierungen übrigens immer wieder auf, beispielsweise beim Besuch von Restaurants oder bei der Beratung in Fachgeschäften.

Was kann man tun, wenn man seine Berufungsorientierung stärken möchte? Von einem Forscherteam der Universität Zürich wird empfohlen, die eigenen Signaturstärken, die ich früher in diesem Buch thematisiert habe, zu identifizieren und sie bei der Arbeit so oft wie möglich anzuwenden.[2] Darüber hinaus kann versucht werden, die eigene Arbeit so umzugestalten, dass Charakterstärken auf eine neue Art und Weise eingesetzt werden können. Dabei ist zu beachten, dass nicht nur solche Charakterstärken zu Ihren Signaturstärken gehören könnten, die für Ihre Erwerbstätigkeit an sich relevant sind, wie zum Beispiel Teamfähigkeit, Durchhaltewille, Selbstregulation oder Führungsvermögen. Es gibt auch Charakterstärken, die sich im Rahmen von wohl fast allen Erwerbstätigkeiten anwenden lassen, obwohl – oder gerade weil – sie nicht in einem unmittelbaren Zusammenhang mit dem stehen, was Sie bei der Arbeit inhaltlich tun. Das gilt zum Beispiel für die Stärken Freundlichkeit, Dankbarkeit, Humor oder Begeisterungsfähigkeit. Welche Charakterstärken das sind, hängt von Ihrem persönlichen Charakterstärken-Profil ab.

Egal welches Ihre Signaturstärken sind, ihre Anwendung wird immer wieder als erfüllend und glücklich machend erlebt, und das eben auch bei der Arbeit.[3] Falls Sie bei Ihrer Arbeit allerdings gänzlich unglücklich sind und diesbezüglich keine Hoffnung auf Besserung sehen, könnte die Suche nach einer neuen Stelle eine Lösung sein. Vielleicht wurden Sie wegen Corona sowieso dazu gezwungen. Das könnte eventuell auch bedeuten, dass Sie sich beruflich neu orientieren. Über die Jahre hinweg habe ich es immer mal wieder erlebt, dass sich Menschen in meinem Umfeld über ihre Arbeit beklagt haben, aus ganz unterschiedlichen Gründen. Dabei habe ich gern und durchaus wiederholt darauf hingewiesen, dass die Suche nach einer neuen Stelle oder nach einer neuen beruflichen Orientierung immer möglich ist. Davon braucht der aktuelle Arbeitgeber ja nichts zu wissen.

Vergegenwärtigen wir uns noch einmal, wie wichtig für die Arbeitszufriedenheit und das persönliche Glück die Haltung ist, die zur eigenen Erwerbstätigkeit eingenommen wird. Tun wir das, so wird klar, dass es sich eventuell lohnt, nach neuen Wegen und Möglichkeiten zu suchen, die eigene aktuelle Erwerbstätigkeit umzudenken und umzustrukturieren, oder wie erwähnt nach einer anderen Stelle oder neuen beruflichen Herausforderung Ausschau zu halten. Denn wer bei der Arbeit seiner Berufung (versus einer Karriere oder einem Job) nachgehen kann, der ist eher glücklich. Zum Abschluss dieses Kapitels sei darauf hingewiesen, dass eine Berufungsorientierung natürlich über den Bereich der Erwerbstätigkeit hinausgehen kann. Es kommt generell auf die Haltung an, die Menschen gegenüber den Dingen einnehmen, die sie in ihrem Leben tun. Man kann sich auch dazu berufen fühlen, ein guter Elternteil, Partner, Künstler oder Sportler zu sein, ohne dafür entlohnt zu werden. Dass eine Berufungsorientierung auch in den Bereichen ausserhalb des Erwerbslebens dem Glücklichsein förderlich ist, dürfte sich nach der bisherigen Lektüre von allein verstehen.

2.3   Achtung, Glücksfalle!

Psychische Prozesse, die unser Denken, Fühlen und Verhalten beeinflussen und unserem Glück erheblich im Wege stehen können, gab es bereits vor Corona. Solche, wie ich sie gern nenne, »Glücksfallen« hätte ich ganz bestimmt auch in einem Buch über das Glücklichsein thematisiert, wenn wir nicht mit dem Virus konfrontiert worden wären. Hier interessiert die Frage, ob einige dieser Glücksfallen durch Corona in ihrer potenziellen Wirkung abgeschwächt und andere womöglich verstärkt wurden. Schauen wir uns das in der Folge genauer an.

Widmet man sich der Thematik Glücksfallen, so ist es sinnvoll, zunächst einen Blick auf den soziokulturellen Kontext zu werfen, der in einer Gesellschaft vorliegt. Zahlreiche psychische Prozesse können nämlich besser verstanden werden, wenn dieser Kontext und seine Eigenheiten analysiert werden. Das Individuum ist ja in diesen Kontext eingebettet und er kann einen starken Einfluss auf Denkmuster, Werte und Verhalten ausüben.[1] Wird eine solche Analyse durchgeführt, kann die heutige westliche Welt als unglaublich komplex charakterisiert werden. Sie ist durch einen sehr hohen technologischen Entwicklungsstand sowie die Betonung individueller Freiheiten und liberaler Werte gekennzeichnet. Wichtiges Stichwort dabei ist die Multioptionalität: Mehr Optionen bieten – zumindest auf den ersten Blick – mehr Möglichkeiten zur individuellen Entfaltung, als es in der uns bekannten Historie jemals der Fall war.[2] Im Gegensatz zu der Zeit vor noch wenigen Jahrzehnten ist die Auswahl zum Beispiel an möglichen Wohnorten, Partnern, Arbeitgebern, Hobbys, Ferienzielen, aber auch Banken, Versicherungsanbietern oder iPhones (die es vor nicht allzu langer Zeit noch nicht einmal gab) extrem in die Höhe geschnellt. Das ist doch erfreulich, oder? Nicht unbedingt … Studienergebnisse zeigen, dass die höhere Anzahl von Wahlmöglichkeiten zu einer geringeren Zufriedenheit mit einer gewählten Option führen kann. Je mehr, desto besser, gilt also nicht uneingeschränkt.

Diese erste Glücksfalle wurde mit Experimenten erforscht, in denen die Anzahl Sorten von bestimmten Lebensmitteln variiert wurde, die die Probanden zur Auswahl hatten. Eine Gruppe konnte jeweils aus einem kleineren Angebot von nur sechs Sorten wählen, der anderen Gruppe standen fünf Mal so viele zur Auswahl, also dreissig Sorten. Zwar weckte in einer Untersuchung an einem Degustationsstand eines gehobenen Lebensmittelgeschäfts die Versuchsbedingung mit dreissig Konfitürensorten zunächst mehr Interesse bei den Passanten, doch von allen Personen, die sich schliesslich zum Degustierstand begaben, konnten sich die Teilnehmer in der

Bedingung, in der nur sechs Sorten zur Auswahl standen, mit grösserer Wahrscheinlichkeit für eine Sorte entscheiden. Doch nicht nur das: In einer weiteren Untersuchung mit dreissig gegenüber sechs – diesmal Schokoladensorten – waren die Probanden in der Bedingung mit dem kleineren Angebot zufriedener mit der schliesslich getroffenen Wahl.[3]

Wie können diese erstaunlichen Befunde erklärt werden? Unter anderem damit, dass das Treffen einer Wahl aus einer grösseren Anzahl von Optionen zwar zunächst als attraktiver erscheint, aber auch tendenziell zu Überforderung führen kann: »Die Schokolade mit den Nüssen, oder doch mit Erdbeere? Oh, mit Kirsche! Doch lieber weisse als braune oder schwarze Schokolade? Wie bitte, weisse Schokolade mit Nüssen gibt es nicht?« Weiter kann eine grössere Auswahl bewirken, dass höhere Erwartungen an die getroffene Wahl generiert werden. Überdies birgt mehr Auswahl ein grösseres Potenzial, die getroffene Wahl zu bereuen: »Hätte ich es doch besser sein lassen und weisse Schokolade mit Nüssen in einem anderen Geschäft gekauft.« In der Fachliteratur wird deshalb empfohlen, bei Entscheidungen eine *Gutgenug-Strategie* anzuwenden, statt auf Teufel komm raus immer nach der besten Option zu suchen. Letztere sogenannte *Maximierungsstrategie* ist dem Glücklichsein eben gerade nicht förderlich. Die Tendenz, bei der Wahl zum Beispiel von Gütern oder Dienstleistungen stets die beste Wahl treffen zu wollen, steht sogar im Zusammenhang mit Depressivität.[4]

Ich werde auf dem Hintergrund dieser Befunde nun bestimmt nicht argumentieren, dass die Lockdowns ein Segen waren. Jedoch kann man sich fragen, inwieweit sie auch ihr Gutes hatten. Ein Aspekt diesbezüglich ist, dass wir infolge der Einschränkungen zeitweilig einige Entscheidungen nicht mehr zu treffen brauchten, über die wir uns andernfalls möglicherweise oft den Kopf zerbrochen hätten: »Welchen Film schauen wir uns heute Abend im Kino an?«, »In welches Restaurant wollen wir am Wochenende essen gehen (eines mit einer möglichst grossen Auswahl an Speisen, nicht wahr?) und in welchen Club danach?«, »In die Sommerferien nach Südfrankreich oder doch lieber an die Adria? Griechenland? Oder doch Spanien?« Ich denke, Sie verstehen, worauf ich hinaus will.

Corona hat dazu geführt, dass unser Leben zumindest auf einigen Ebenen vereinfacht wurde, da wir wegen der sehr eingeschränkten Freiheiten auch weniger Momente der sprichwörtlichen Qual der Wahl erlebten. Basierend auf den weiter oben geschilderten Forschungsergebnissen sollte sich zumindest das eher positiv auf unser Glücklichsein ausgewirkt haben. Dass Corona zur Rückkehr zu einem einfacheren, und in gewisser Weise auch natürlicheren, Leben führte, wurde mir im Frühjahr 2020 bewusst: Über den Dächern der Berner Altstadt, wo ich wohne, verkehren wegen des nahe gelegenen Flughafens Belp üblicherweise ziemlich viele Flugzeuge. Mir erschien es zu Zeiten des Lockdowns manchmal fast unheimlich, wie ruhig es hier in der Luft geworden war.

Mir kam der Gedanke, wie wenig die Generationen unserer Grosseltern und Eltern noch geflogen waren – der Umwelt hat Corona nicht geschadet.

Bezogen auf den gesellschaftlichen Kontext, in den wir eingebettet sind, ist es zudem so, dass unsere heutige westliche Welt im Gegensatz zu früher kein klares Set von Werten mehr vermittelt, an denen sich das Individuum orientieren könnte.[5] Hier kommt wiederum der Begriff der *individuellen Wahl* ins Spiel, diesmal im Kontext der verschiedensten möglichen Werte.

Motivationspsychologische Forschungsarbeiten zeigten, dass Glücklichsein nicht zuletzt daraus resultiert, dass Menschen mit ihren eigenen Werten konsistente Ziele anstreben und sie auch erreichen können.[6] Bevor eine Zielerreichung aber angestrebt werden kann, sind Ziele zu definieren, wobei die Wahl der »richtigen« Werte in postmodernen individualisierten Gesellschaften in sehr starkem Ausmass in den Händen des Individuums liegt.[7] Werden Ziele angestrebt, die den definierten Werten entsprechen, und werden diese Ziele dann nicht erreicht, besteht eine Tendenz, die Bewertung zu verzerren: Der Misserfolg wird internal attribuiert, das heisst, die Gründe für das Scheitern werden in der eigenen Person und nicht in beispielsweise misslichen Umständen gesucht. Wir haben das Ziel ja schliesslich selbstständig definiert![8] Und wir haben ja auch unser Bestes gegeben! Vielleicht war der andere Kandidat für die ausgeschriebene Stelle einfach wirklich Spitzenklasse und absolut passend. Oder die neue Beziehung endete rasch, weil der Partner seine beziehungsbezogene Vergangenheit noch nicht bewältigt hat und noch nicht bereit war. Obwohl es also nicht bei einem selbst liegt, dass man ein Ziel nicht erreicht hat, werden die Gründe für das »Scheitern« trotzdem der eigenen Person zugeschrieben. Schliesslich wurde man ja nicht dazu gezwungen, sich für die Stelle zu bewerben und die Beziehung einzugehen, sondern man hat sich aus freien Stücken und nach womöglich sehr reiflicher Überlegung dazu entschieden. Dementsprechend müssen die Ursachen für diese Misserfolge in der eigenen Person zu finden sein – so der Unglück bringende Fehlgedanke.[9]

Der Mediziner und Psychiater David Servan-Schreiber sieht in diesen Prozessen der Ergründung der Ursachen von Misserfolgen sogar einen möglichen Grund dafür, dass Depressionen in den letzten rund sechzig Jahren stark zugenommen haben.[10] Immer mehr und mehr im Leben selbstständig entscheiden zu können, ist demnach also durchaus ein zweischneidiges Schwert. Zudem sind gegenüber früher die Erwartungen an sich selbst massiv gestiegen. Die Redewendung »seines eigenen Glückes Schmied zu sein« hat in unserer heutigen Gesellschaft dementsprechend eine hohe Bedeutung, die durchaus problembehaftet sein kann.

Mein Vater wurde 1940 geboren. Ich erinnere mich an viele Gespräche mit ihm, die länger zurückliegen und in denen er stets argumentierte, dass meine Generation es heutzutage schon nicht leicht hätte, jedoch sei das Leben für Angehörige seiner Nachkriegsgeneration noch schwieriger gewesen. Dann, vor vielleicht rund zehn Jahren, staunte ich, als er plötzlich meinte, er habe seine Meinung geändert und stimme nun mit mir überein: Das Leben sei für uns Jüngere herausfordernder, als es damals für seine Generation gewesen war. Hatten ihn vielleicht meine wiederholten Ausführungen zu Multioptionalität, Wertelücken und internaler Attribution bei Misserfolg überzeugt? Oder hat er diese Zusammenhänge über die Zeit selbst beobachtet? Nur einfach so dahingesagt hätte mein Vater das jedenfalls ganz bestimmt nicht.

In einem Kapitel über Glücksfallen darf das Stichwort *Glücksprognosen* nicht fehlen. Gut möglich, dass Sie grundsätzlich wissen, welche Dinge Sie glücklich machen und welche nicht. Wenn wir uns jedoch anschauen, wie Menschen einschätzen, welche Ereignisse in der Zukunft sie glücklich oder unglücklich machen werden, dann sind entsprechende Prognosen nicht sonderlich gut. Zwar gelingt es Menschen ziemlich gut einzuschätzen, ob sich bestimmte Ereignisse, wie zum Beispiel der Gewinn der Meisterschaft durch die Lieblingsfussballmannschaft oder ein Armbruch, positiv oder negativ auf ihre Befindlichkeit auswirken werden. Jedoch werden die Dauer und die Intensität der entsprechenden emotionalen Reaktionen oft überschätzt. Je nachdem, wie alt Sie sind, werden Sie vermutlich wohl die eine oder andere Trennung erlebt haben. Es mag spezielle Fälle geben, doch wären Sie zum Zeitpunkt einer bestimmten Trennung gefragt worden, wie unglücklich Sie deshalb in einem halben Jahr oder einem Jahr sein würden, hätten Sie Ihr diesbezügliches Unglück wohl überschätzt.

Gleiches gilt für positiv bewertete Umstände in Ihrem Leben, wie zum Beispiel den Beginn einer neuen Beziehung oder den Kauf eines schicken Autos. Es wird überschätzt, wie glücklich das macht. Diese Fehleinschätzungen rühren daher, dass solche Ereignisse ja nicht das Einzige sind, was in Ihrem Leben in der fraglichen Zeitspanne geschieht. Viele andere grosse und vermeintlich kleine Dinge tragen sich zu, aber Menschen haben die Tendenz, deren Einfluss auf das Befinden zu unterschätzen, wenn sie ihr eigenes zukünftiges Glück prognostizieren. Man ist gedanklich zu sehr auf ein bestimmtes Ereignis fokussiert. Im Fall von negativen Ereignissen wird zudem oft das eigene Potenzial unterschätzt, mit ihnen umgehen und sie verarbeiten zu können, auch wenn diese Ereignisse eine Zeit lang sicherlich äusserst schmerzlich sein können.[11] Sind Sie in einer solchen Situation, geben Sie sich die Zeit und erlauben Sie sich, um einen geliebten Menschen oder den Verlust eines Traumjobs zu trauern – denken Sie jedoch daran, dass der Schmerz, den Sie dabei empfinden, in einigen Monaten ziemlich sicher weniger intensiv sein wird, als Sie das im Moment voraussagen würden. Tappen Sie also nicht in die Glücksfalle, die Ihnen vorgaukelt, dass der Schmerz länger andauern und intensiver sein wird, als es sich in der Zukunft höchstwahrscheinlich herausstellen wird.

Wissen um fehlerhafte Glücksprognosen könnte aber nicht nur Ihr momentanes Unglück vermindern, sondern Ihrem Glück in die Hände spielen: Die Forschung zeigt auch, dass der Einfluss von vermeintlich kleinen Dingen auf unser Befinden unterschätzt wird. So wurde in Untersuchungen beispielsweise gezeigt, dass das Ausgeben von Geld für andere Menschen glücklicher macht als das Ausgeben von Geld für sich selbst. Wurden aber Personen, die nicht an den entsprechenden Studien teilgenommen hatten, gefragt, ob das Ausgeben von Geld für andere oder für sich selbst glücklicher machen würde, so lag die Mehrheit falsch und prognostizierte, dass sich selbst zu beschenken glücklicher mache.[12] Auf den Glück bringenden Effekt, einem anderen Gutes zu tun – insbesondere wenn Sie solches Verhalten wiederholt zeigen und variieren und auf diese Weise Gewöhnungseffekten entgegenwirken –, werde ich im nächsten Kapitel noch genauer eingehen.

Im Zusammenhang mit möglichen Falschprognosen hinsichtlich Ihres zukünftigen Glücks oder Unglücks ist es sinnvoll, nochmals auf Werte und Ziele zurückzukommen. Ich hatte sie weiter oben bereits angesprochen, und ja: Sie sind wirklich ausgesprochen wichtig für unser Glück. Es existieren nicht nur solche Werte und Ziele, die dem Glücklichsein förderlich sind, sondern auch solche, die zwar teilweise gesellschaftlich vermittelt werden, aber unserem Wohlergehen leider gar nicht zuträglich sind. Das sind die materialistischen Werte, die uns nach materiellem Reichtum, finanziellem Erfolg, sozialer Beachtung, einem attraktiven Äusseren sowie Status und Macht streben lassen.[13] Solche Werte und Ziele werden als extrinsisch motiviert bezeichnet, da sie von aussen vorgegeben werden.

Wieso machen materialistische Werte unglücklich? Ich hatte bereits aufgezeigt, dass es vor allem solche Werte sind, die glücklich machen, die den inneren Bedürfnissen des Individuums entstammen. Sie führen dazu, dass menschlichen Beziehungen, dem Einsatz für die Gemeinschaft und persönlichem Wachstum eine hohe Priorität zugeschrieben wird. Echte innere Bedürfnisse werden jedoch durch materialistische Werte nicht befriedigt. Sie sind dem Glücklichsein alles andere als zuträglich und können sich sogar negativ auf die Gesundheit auswirken. Das ist ein in Studien derart robust beobachteter Befund, dass Klaus Moser in seinem Lehrbuch zur Wirtschaftspsychologie ein Unterkapitel mit dem knackigen Titel »Materialismus macht krank« versah. Das liegt daran, dass ein Individuum mit einem stark ausgeprägten materialistischen Denken seine inneren Bedürfnisse vernachlässigt, was nicht selten dazu führt, dass beispielsweise soziale Beziehungen verarmen, die gerade für unser Glück so wichtig sind.[14]

Sind materialistische Wertehaltungen angeboren oder werden sie erlernt? Die Forschung zeigt: wohl eher Letzteres. Entwicklungspsychologische Studien erbrachten den Nachweis, dass Menschen mit materialistischen Werten in der Kindheit weniger liebevoll, zärtlich und warm behandelt wurden und mit mehr Verboten und Kritik konfrontiert. Zudem erhielten sie weniger Möglichkeiten, ihre Gefühle auszudrücken und sie selbst zu sein.[15] Was die weitere Entwicklung von materialistischem Denken in der Jugendzeit betrifft, sind soziale Bezugsgruppen wie zum Beispiel Cliquen oder Vereine von Bedeutung, in denen entsprechende Werte vertreten werden, die das Individuum dann übernimmt.[16] Davor, dass der elterliche Erziehungsstil und soziale Bezugsgruppen materialistisches Denken also fördern können und dass eine entsprechende Haltung des Habens (statt des Seins) krankmachen kann, wird jedoch kaum gewarnt – obwohl das aus einer gesundheitspolitischen Perspektive durchaus angebracht wäre. Achten Sie also darauf, von welchen Werten Sie Ihr Handeln leiten lassen und welche Ziele Sie anstreben. Es lohnt sich.

Hier lauert eine weitere Glücksfalle, der man über die genannten Faktoren hinaus anheimfallen kann: Im Fernsehen werden die Reichen, Einflussreichen und Schönen (vielleicht auch unausgesprochen) als die Glücklichen dargestellt und es werden Produkte beworben, die Sie für Ihr Glück kaum benötigen. Abgesehen davon: Haben Sie eine bestimmte Menge Geld zur Verfügung, die Sie ausgeben könnten, und sollte es Sie künftig mal wieder in den Fingern jucken, investieren Sie das Geld nicht in materielle Güter, sondern in Erlebnisse. Zum Beispiel in einen Ausflug mit Ihrer Familie oder in den Besuch einer kulturellen Veranstaltung mit Freunden. Das wird Sie glücklicher machen, weil Sie das Erlebnis mit Ihren Liebsten teilen können und voraussichtlich länger in freudiger Erinnerung behalten werden als die neue Armbanduhr oder die teure Jacke. Zudem lauert im Zusammenhang mit materiellen (Luxus-)Gütern die

Gefahr Unglück bringender sozialer Vergleichsprozesse, auf die ich gleich noch zu sprechen komme.[17]

Rekapitulieren wir im Zusammenhang mit materialistischen Werten zur abschliessenden Illustration kurz die Arbeitsorientierungen: Wer seiner Erwerbstätigkeit primär des Geldes wegen nachgeht, verfügt über eine Joborientierung. Wer beruflich in erster Linie an Aufstieg und damit verbundenem Prestige interessiert ist, ist karriereorientiert. Wer seiner Erwerbstätigkeit vor allem deswegen nachgeht, um Freude und Erfüllung zu erlangen, hat eine Berufungsorientierung. Geld, beruflicher Aufstieg und Prestige sind materialistische Werte, und Freude und Erfüllung eben gerade nicht, was erklären dürfte, weshalb Menschen mit Berufungsorientierung von einer höheren Arbeits- und Lebenszufriedenheit berichten als Menschen mit den beiden anderen Arbeitsorientierungen.

Eine letzte Glücksfalle, auf die ich in diesem Kapitel zu sprechen kommen will und die in einem engen Zusammenhang mit materialistischen Werthaltungen steht, ist die Tendenz, sich ständig mit anderen vergleichen und besser als die anderen dastehen zu wollen.[18] Im Rahmen von sportlichen Wettkämpfen beispielsweise ist nichts gegen eine Haltung einzuwenden, die auf Wettbewerb ausgerichtet ist. Ist aber am Ende des Tages Herr Müller mit seinem Mercedes vor der Garage unglücklich, weil vor Herrn Meiers Garage ein Lamborghini steht (oder weil Ihre neue teure Jacke doch nicht so schön ist wie die von Urs), sind soziale Vergleichsprozesse im Spiel, die unserem Glück schaden. Das grundsätzliche Problem ist, dass Sie immer jemanden finden könnten, der in einem bestimmten Bereich noch talentierter oder am Arbeitsplatz noch beliebter ist als Sie.[19]

Lassen Sie sich also nicht ins Bockshorn jagen. Finden Sie heraus, was Ihnen im Leben wichtig ist, und verfolgen Sie entsprechende Ziele – aber vergleichen Sie sich nicht andauernd mit anderen. Wenn Sie sich auf dieses Spiel der sozialen Vergleiche einlassen, können Sie eigentlich nur verlieren. Wenn ich mir meine Lieblingsalben anhöre und diese kompositorischen Glanzleistungen stets als Referenz heranziehen würde, hätte ich in den vergangenen Jahren womöglich keinen einzigen Song fertiggeschrieben, geschweige denn ein ganzes Album veröffentlicht. Im Sinne dieser Überlegungen zeigt die Forschung, dass eher unglückliche Menschen negativ durch gute Leistungen von anderen beeinflusst werden, sich glücklichere Zeitgenossen dadurch jedoch nicht irritieren lassen.[20] Statt sich mit Menschen zu vergleichen, die in einem Bereich sehr gut sind, und sich dadurch emotional herunterziehen zu lassen, können Sie den Spiess umdrehen: Erfreuen Sie sich an deren Leistungen und lassen Sie sich durch sie inspirieren!

Was ist also bezogen auf Glücksfallen während Corona geschehen? Ich hatte bereits im Vorwort betont, wie erschütternd es ist, dass Menschen in negativer Weise durch das Virus betroffen waren und sind, sowohl physisch als zum Beispiel auch psychisch oder wirtschaftlich. Zum Abschluss dieses Kapitels möchte ich den Fokus jedoch darauf lenken, dass diese sehr spezielle Zeit gerade mit Blick auf die Glücksfallen auch ihre guten Seiten hatte. Unser Leben wurde während der Lockdowns zwar stark eingeschränkt, aber bezogen auf einige Aspekte eben auch vereinfacht.

Viele Entscheidungen, mit denen wir uns ansonsten Tag ein, Tag aus herumzuschlagen hatten (zum Beispiel was die Gestaltung der Freizeit betrifft), standen gar nicht mehr im Raum. So wurden viele Menschen durch Corona in gewisser Weise auf sich selbst und ihre engsten Bezugspersonen zurückgeworfen. Das könnte ein Grund dafür gewesen sein, weshalb sich, wie bereits geschildert, während des Lockdowns die Wichtigkeit erhöht hat, die den Werten Freundlichkeit, Zeit zum Nachdenken, soziale Beziehungen sowie Spiritualität und Glaube zugeschrieben wird. Genau! Diese Werte sind allesamt intrinsischer Natur und dem Glücklichsein förderlich. Die Daten deuten ebenso darauf hin, dass sich die Mehrheit der Menschen während der Lockdowns vermutlich gezwungenermassen und automatisch auf bestimmte gesunde und Glück bringende Werte zurückbesonnen hat. Und weniger Wert auf materiellen Besitz legte? Stimmt diese Vermutung, wäre während Corona zumindest diese Problematik der gezeigten Glücksfallen zu einem grossen Teil weggefallen. Zukünftige Forschung wird sicherlich zeigen, wie sich das Wertegefüge von Menschen nach Corona über die Zeit hinweg verändern wird.

Aus der Perspektive der Glücksforschung wäre es begrüssenswert, wenn die bis anhin beobachteten und hier geschilderten Veränderungen möglichst lange bestehen bleiben. Denn eben, unserem Glück stehen doch einige Fallen im Weg, gerade was Werte betrifft. Der weltweit führende Dankbarkeitsforscher und Psychologieprofessor Robert Emmons argumentierte zu Beginn dieses Jahrtausends, dass es für das Wohlbefinden des Individuums wichtiger denn je sei zu wissen, welche Ziele nicht erreichbar (utopisch) sind, welche Ziele nicht in seinem besten Interesse sind – aber insbesondere auch, welche Ziele ihm wirklich wichtig sind.[21] Mit Blick auf die Gegenwart und die Eigenheiten unseres kulturellen Umfelds, die seither grundsätzlich sicherlich nach wie vor bestehen, dürften Emmons Worte zumindest bis vor dem Ausbruch von Corona Gültigkeit besessen haben. Allerdings sind wir seit den Lockdowns wahrscheinlich in geringerem Ausmass mit exzessiven Wahlmöglichkeiten, einer weit klaffenden Wertelücke, der Tendenz der internalen Attribution bei Misserfolg und der Glücksfalle Materialismus konfrontiert, als das vor Corona der Fall war. »Zum Glück« könnte man vielleicht sagen, trotz allem Leid, das das Virus verursacht hat.

2.4 Glücklicher durch einfache Übungen

Wie wir gesehen haben, hat Corona einen beträchtlichen Einfluss auf unsere Psyche ausgeübt, und das zumeist in negativer Weise. Um diesem Umstand entgegenzuwirken, auch falls Sie unter der speziellen Situation nicht besonders gelitten haben sollten, stelle ich in diesem

Kapitel eine Auswahl von einfachen Übungen vor. Diese Übungen haben sich als wirksam herausgestellt, um das Glücklichsein zu fördern und die psychische und teils auch körperliche Gesundheit positiv zu beeinflussen. In den entsprechenden Studien wurde die Wirksamkeit von Übungen mit Interventionen verglichen, von denen man weiss, dass sie keinen Effekt haben. So kann man ausschliessen, dass der alleinige Glaube an die Wirksamkeit einer Übung einen positiven Effekt hat – den bekannten Placeboeffekt.

Auf einige Übungen, die sich als wirksam herausgestellt haben, wird auch im Rahmen von Psychotherapien zurückgegriffen. Ihre Anwendung ist jedoch keinesfalls nur für psychisch erkrankte Menschen gedacht, sie werden auch als Mittel zur Prävention von psychischen Störungen betrachtet.[1,2] Sehr reizvoll finde ich diese Übungen zudem, weil sie ohne spezielle Hilfsmittel absolviert werden können und insgesamt nur wenig Zeit in Anspruch nehmen – meist dauern sie, verteilt über mehrere Tage, insgesamt nur rund eine Stunde. Zudem werden dabei keine Floskeln vermittelt wie das arg überstrapazierte »Think positive!« oder »Betrachte das halb volle, nicht das halb leere Glas«, die doch äusserst abstrakt und damit schwierig in die Tat umzusetzen sind. Vielmehr werden ganz konkrete Verhaltensweisen vorgeschlagen.

Grundsätzlich ist zu beachten, dass die Motivation, mit der Sie diese Übungen angehen und absolvieren, einen entscheidenden Einfluss darauf ausübt, ob sie einen positiven Effekt haben.[3] Stellen Sie sich vor, zwei Personen nehmen sich vor, zwei Mal pro Woche joggen zu gehen. Die eine Person beginnt damit und entscheidet sich bereits in der zweiten Woche, die Finnenbahn fortan drei Mal pro Woche zu betreten, da ihr das Jogging in der ersten Woche viel Freude bereitet hat und sie sich anschliessend jeweils ausgesprochen gut und an den nachfolgenden Tagen sehr ausgeruht fühlte. Die andere Person hat die Joggingeinheiten auf Anraten des Hausarztes in Angriff genommen und sie schon in der ersten Woche nur widerwillig absolviert – bereits in der zweiten Woche konnte sie sich nicht mehr dazu durchringen, die Joggingschuhe anzuziehen. Analog dazu sind nicht alle Menschen in gleichem Ausmass begeistert von einer bestimmten Übung.

Weckt eine Übung Ihr Interesse, beginnen Sie damit. Können Sie sich damit identifizieren und macht Ihnen die Übung Spass, ist das ideal. Machen Sie weiter. Vielleicht werden Sie das sogar über die empfohlene Dauer hinweg tun. Dass das der Fall sein kann, wird nicht nur in Studien berichtet. Ich konnte das im Rahmen von eigenen Untersuchungen wiederholt beobachten, in denen wir die Teilnehmer später fragten, ob sie die Übungen über die veranlagte Zeit hinweg freiwillig fortgesetzt haben. Stellen Sie hingegen schon nach kurzer Zeit fest, dass eine Übung beim besten Willen nichts für Sie ist, brechen Sie sie ab und versuchen Sie sich an einer anderen Übung, wenn Sie mögen.

Bei welchen Menschen welche Übungen übrigens besonders wirksam oder unwirksam sein könnten, habe ich damals als Assistent an der Universität Bern und als Neueinsteiger in die Glücksforschung eine Zeit lang via E-Mail mit Sonja Lyubomirsky diskutiert, Koryphäe der Glücksforschung und Autorin des Buches »The How of Happiness« – Sie kennen die Dame bereits aus Kapitel 1.3. Das war vor rund fünfzehn Jahren, und was diese Frage betrifft, wissen wir heute einiges mehr als damals. Zum Beispiel gilt es unbedingt zu berücksichtigen, dass es Menschen gibt, die mit solchen Übungen überhaupt nichts anfangen können. Falls Sie zu ihnen gehören sollten, empfehle ich Ihnen, die nachfolgenden Ausführungen dennoch durchzulesen, denn sie geben wichtige Hinweise darauf, wie Glücklichsein zustande kommen kann.

Wiederholt habe ich ja in diesem Buch darauf hingewiesen, dass es weniger die objektiven Lebensumstände sind, die über unser Glücklichsein entscheiden, sondern das, was wir denken und tun. Hier setzen die Übungen an. Nicht selten wird unser Glücklichsein von den sprichwörtlichen vermeintlich kleinen Dingen positiv beeinflusst, die sich im Leben ereignen und ansammeln. Und wer weiss, vielleicht befindet sich unter den Übungen die eine oder andere, die sie einer Freundin oder einem Bekannten vorschlagen können, auch wenn Sie selbst darauf verzichten, sie auszuprobieren.

Es gibt mittlerweile eine stattliche Anzahl von Interventionen, die wissenschaftlich geprüft und als geeignet identifiziert werden konnten, um das Glücklichsein zu fördern. Körperliche Aktivität und Meditation gehören übrigens dazu.[4] Bei den folgenden Übungen habe ich jedoch darauf geachtet, dass sie insbesondere zu diesen speziellen Zeiten passen. Wir wissen ja, dass das Virus bei vielen Menschen zu einer Veränderung der Werte geführt hat, wie zum Beispiel zu einem Anstieg des Bedürfnisses, über Dinge nachzudenken. Es steht dementsprechend oft das Reflektieren über Aspekte im Zentrum, die Teil Ihres Lebens sind.

Schreiben über ein schlimmes Ereignis
Möglicherweise halten Sie dieses Buch in den Händen, weil Ihnen oder einem Menschen aus Ihrem näheren Umfeld während Corona etwas sehr Unerfreuliches passiert ist. Vielleicht ein Stellenverlust, eine Trennung oder eine Erkrankung, vielleicht sogar ein Todesfall. Wenn Sie deshalb in diesem Buch einen ganz konkreten Hinweis suchen, was Sie tun könnten, mein Tipp: Schreiben Sie darüber. Es ist nämlich so, dass eine ganze Reihe von Untersuchungen gezeigt hat, dass das Schreiben über sehr unerfreuliche Dinge dem Glücklichsein und auch der körperlichen Gesundheit förderlich ist. Das mag für einige Leser womöglich kontraintuitiv klingen. Ja, der Prozess des Schreibens ist natürlich mit dem Aufkommen von negativen Gefühlen verbunden, aber danach, wenn dieser Schmerz überwunden ist, setzen Prozesse ein, die Ihnen zugutekommen.[5]

In typischen Untersuchungen in diesem Bereich schrieben die Teilnehmer während mindestens drei oder vier

Tagen jeweils 15 Minuten, und zwar eben über ein schlimmes Ereignis, das ihnen widerfahren ist.[6] Vielleicht haben Sie zwar während Corona nichts dergleichen erlebt, aber dafür bereits früher etwas, worüber es Sinn machen könnte zu schreiben. Egal worum es sich handelt, orientieren Sie sich dabei an den beiden zentralen Fragen: 1. Wieso hat sich das Ereignis Ihrer Meinung nach zugetragen? 2. Gibt es etwas Positives, das sich daraus entwickeln konnte, auch wenn das Ereignis selbst noch so schlimm war?[7] Wenn es Ihnen gelingt, diese beiden Fragen in der Art zu beantworten, dass Sie einen *Sinn* in dem Geschehenen erkennen, dürften Sie ziemlich sicher vom Schreibprozess profitieren.

Jonathan Haidt, den Sie ja bereits kennen, betitelte sein Buchkapitel zum Thema Schreiben über schlimme Ereignisse dementsprechend »Blessed are the sense makers« (»Gesegnet sind die Sinnerkennenden«). Es könnte sein, dass es für Sie normal ist, mit nahestehenden Menschen über schlimme Ereignisse zu sprechen. Und womöglich hatten diese Menschen nicht nur ein offenes Ohr für Sie, sondern halfen Ihnen dabei, Sinn in dem Geschehenen zu erkennen. In der Tat ist es so, dass eher Menschen von dieser Übung profitieren, die anderen gegenüber auf emotionaler Ebene nicht sehr offen sind und bestimmte Dinge lieber für sich behalten. Wenn jemand mit anderen nicht über leidvolle Themen sprechen möchte, bietet diese Übung einen nicht zu unterschätzenden Gewinn. In diesem Fall wäre das Schreiben über belastende Themen, das Sie »nur« für sich selbst tun, eine Option.[8]

In Studien unter Verwendung von Schriftanalyse-Software wurde zudem festgestellt, dass diejenigen Personen am meisten vom Schreibprozess profitierten, die dabei weniger negative Emotionsworte wie zum Beispiel »Angst«, »Schmerz« oder »Wut« verwendeten, sondern eine grössere Anzahl von positiven Emotionsworten wie »Hoffnung«, »Heilung« oder »innerer Friede«.[9] Dass beim Schreiben also auch dem Negativen Raum gegeben wird, aber positive Aspekte schliesslich doch überwiegen können, erinnert Sie vielleicht an das gesunde Verhältnis von positiven zu negativen Emotionen sowie an das Glück der Fülle, was ich früher in diesem Buch beschrieben habe.

Wo sich eine Tür schliesst, öffnet sich eine andere
Vielleicht hat sich in Ihrem Leben während Corona nichts ereignet, was Sie als (sehr) schlimm bezeichnen würden. Dass sich durch das Virus eine oder mehrere sprichwörtliche Türen geschlossen haben, ist hingegen recht wahrscheinlich. Beim Zusammenstellen einer Auswahl von Übungen für das vorliegende Buch kam mir eine Intervention relativ schnell in den Sinn. Sie schien mir aufgrund der weltweiten Lockdowns im Frühjahr 2020 nur allzu passend, da ein Lockdown eben als eine solche Tür betrachtet werden kann, die sich damals zumindest temporär schloss. Unzählige Unternehmen schlossen wortwörtlich ihre Türen und kleinere wie auch grössere Veranstaltungen mussten abgesagt werden, was für Sie zum Beispiel bedeutet haben könnte, dass Sie

nicht mehr arbeiten gehen oder von Ihnen geliebte kulturelle Veranstaltungen besuchen konnten. Wem das berühmte Sprichwort des französischen Schauspielers, Theaterdirektors und Dramatikers Molière mit der geschlossenen Tür geläufig ist, der weiss, was darauf folgt: » ... öffnet sich eine andere«.

In dieser zweiten Übung geht es dementsprechend darum, dass Sie sich Situationen überlegen, in denen sich für Sie eine solche wichtige Tür geschlossen hat, sich dadurch aber eine andere Tür öffnete – oder sogar mehrere. Diese Situationen können sich auch auf die Zeit vor Corona beziehen. Überlegen Sie sich zwei oder mehr solche Situationen und schreiben Sie pro Situation und pro Tag zehn bis fünfzehn Minuten darüber. Beantworten Sie dabei die folgenden Fragen: Welche Tür hat sich geschlossen, und welche andere hat sich dadurch geöffnet? Nachdem sich die eine Tür geschlossen hat ... wie lange hat es gedauert, bis Sie realisiert haben, dass sich dadurch eine andere Tür geöffnet hat? Gibt es etwas, das Sie in solchen Situationen üblicherweise daran hindert, geöffnete Türen zu sehen – zum Beispiel Unverständnis, Wut, Traurigkeit oder verletzter Stolz? Was können Sie zukünftig tun, um leichter zu erkennen, wenn sich eine neue Tür öffnet, nachdem sich eine andere geschlossen hat?[10]

Diese Übung geht also in eine ähnliche Richtung wie das Schreiben über ein schlimmes Ereignis. In beiden Fällen geht es im Kern darum, sich zu vergegenwärtigen, dass sich im Leben zwar Negatives ereignen, daraus aber auch Gutes entstehen kann. Letzteres ist eng verknüpft mit – nicht unrealistischem, sondern realistischem – Optimismus, und diese Charakterstärke steht, wie bereits beschrieben, in einem starken positiven Zusammenhang mit dem Glücklichsein. Es kann demnach äusserst lohnenswert sein, sich darin zu üben, gerade trotz widriger Umstände oder basierend auf negativen Ereignissen zu versuchen, die Charakterstärke Optimismus zu kultivieren und einen hoffnungsvollen Blick in eine nicht festgeschriebene Zukunft zu werfen.

Drei gute Dinge
Im Jahr 2005 wurde eine Studie publiziert, in der ein amerikanisches Forscherteam aus einer grossen Auswahl fünf Übungen hinsichtlich ihrer Fähigkeit überprüfte, Gefühle des Glücklichseins zu erhöhen und Symptome von Depressivität zu vermindern. Alle diese Übungen konnten innerhalb von fünf Tagen absolviert werden. Eine dieser Übungen sprach mich sehr an, sodass ich sie nicht wie gefordert während nur fünf, sondern über zwanzig Tage hinweg absolvierte. Dass das bei mir der Fall war, heisst natürlich keinesfalls, dass es Ihnen gleich ergehen muss. Urteilen Sie selbst.

Ich hatte bereits die Negativitätsverzerrung beschrieben, die den Umstand bezeichnet, dass Menschen negativen Ereignissen viel mehr Aufmerksamkeit schenken als positiven und diese negativen Ereignisse unser Denken und Verhalten viel stärker beeinflussen. Dementsprechend können Sie womöglich bestätigen (ich kann es), wie gut Menschen darin sind, über Tage oder gar Wochen hinweg die möglichen Ursachen von negativen Ereignissen zu ergründen: »Hätte ich vielleicht vorsichtiger sein können?«, »Ist Barbara nicht einfach viel zu egoistisch?«, »Der Chef hatte also eine ganz miese Laune, oder war ich zu forsch?« Bei den *Drei guten Dingen* geht es nun im Gegensatz dazu, wie der Name dieser Übung schon sagt, um das Ergründen der möglichen Ursachen von positiven Ereignissen. Laufen die Dinge gut und gehen Sie sorgenfrei durch das Leben, gibt es üblicherweise nichts grossartig zu analysieren. »Weiter so« lautet dann die einfache Devise, wie ich zu den positiven Emotionen erläutert habe. Wir sind deshalb auch nicht besonders geübt darin, die möglichen Ursachen von positiven Ereignissen zu ergründen. Und das, obwohl dadurch eben genau der Negativitätsverzerrung entgegengewirkt und die Aufmerksamkeit vermehrt auf die guten Dinge im Leben gelenkt werden kann. Zudem kann diese Übung Sie dabei unterstützen, bestimmte positive Ereignisse überhaupt erst herbeizuführen, die Sie anschliessend »verbuchen« können – wie ich damals selbst feststellen konnte.

Wollen Sie diese Übung ausprobieren, notieren Sie an mindestens fünf aufeinanderfolgenden Abenden drei positive Dinge, die sich während des Tages ereignet haben, und vermerken Sie einen in Ihren Augen plausiblen Grund dafür, warum sie sich ereignet haben. Bei den drei Dingen kann es sich um Kleinigkeiten (»Mein Partner hat heute auf dem Nachhauseweg daran gedacht, mein Lieblingseis einzukaufen«) oder um bedeutendere Ereignisse handeln (»Meine Kollegin hat heute ein gesundes Baby zur Welt gebracht«). Beantworten Sie anschliessend bei jedem positiven Ereignis die Frage, warum es sich ereignet haben könnte. Zum Beispiel könnte man notieren, dass der Partner das Lieblingseis eingekauft hat, weil »er über die Gabe verfügt, an solche Dinge zu denken«, oder weil »ich ihn via iPhone daran erinnert habe, das Eis einzukaufen«. Bezüglich des zweiten Beispiels mit der Geburt könnte man aufschreiben, dass »die Kollegin während der Schwangerschaft alles richtig gemacht hat« oder dass »Gott sich gut um die beiden gekümmert hat«.

Über das Warum der positiven Ereignisse zu schreiben, dürfte für Sie zunächst sehr ungewohnt sein. Wenn Sie es aber trotzdem tun, wird es Ihnen rasch leichter fallen. Ich erinnere mich gern an das Absolvieren dieser Übung zurück, obschon es mir beispielsweise nicht leicht fiel, einen möglichen Grund für einen schönen Traum zu finden oder zu begründen, weshalb die Schweizer Fussballnationalmannschaft dem Schwergewicht Italien an einem lauen Frühlingsabend in Genf nach einem tollen Spiel ein Unentschieden abgerungen hatte. Vielleicht hätte ich Fussballtrainer werden sollen ... Abgesehen davon: Die Probanden, die in der eingangs besprochenen amerikanischen Studie diese Übung machten, berichteten sogar noch ein halbes Jahr später nicht nur von stärkeren Gefühlen des Glücklichseins, sondern zudem von weniger Symptomen von Depressivität als die Placebo-Vergleichsgruppe, die eine unwirksame Übung absolviert hatte.[11]

Dankbarkeitstagebuch

Etwas ausführlicher möchte ich an dieser Stelle zunächst auf die Charakterstärke Dankbarkeit eingehen, da sie in einem sehr starken Zusammenhang mit dem Glücklichsein steht und ihre Kultivierung demzufolge besonders lohnenswert ist.[12] Neben dem Büro, in dem ich damals als Assistent am Institut für Psychologie in Bern arbeitete, befand sich ein Kopierer, der rege durch das Personal benutzt wurde. Als ich mein Büro eines Nachmittags in Richtung einer von nicht wenigen Kaffeepausen verliess, stand ein Kollege und Mitarbeiter des Lehrstuhls für Sozialpsychologie am Kopierer, der gerade mit der Analyse der Daten seines laufenden Forschungsprojektes beschäftigt war. Wir teilten unser Interesse an der Glücksforschung, weshalb er mich mit grossen Augen anschaute und sagte: »Du, Bernhard, der Zusammenhang zwischen Dankbarkeit und Lebenszufriedenheit in unseren neuen Daten ist gewaltig.« Solche starken Zusammenhänge waren mir aus der Literatur bereits bekannt, aber ein Psychologe lernt, sich darüber zu freuen, wenn sich bereits publizierte Befunde in eigenen oder in den Datensätzen von Kollegen wiederfinden. Schliesslich ist die Psychologie alles andere als eine exakte Wissenschaft. Wir begannen, uns angeregt über die frischen Daten auszutauschen. Was sagte der englische Schriftsteller und Journalist G. K. Chesterton dazu? »Der Prüfstein allen Glücks ist Dankbarkeit.«

Die Übung zur Kultivierung von Dankbarkeit ist im Grunde genommen sehr einfach: Nehmen Sie sich einmal pro Woche fünf Minuten Zeit und notieren Sie alles, wofür Sie dankbar sind, zum Beispiel jeweils am Freitagabend. Falls Sie Gefallen daran finden, können Sie diese Übung über zehn Wochen hinweg machen. Wenn Sie wollen, sogar noch länger. Hierbei bieten sich natürlich primär solche Dinge an, die Sie in der letzten Woche erlebt haben, beispielsweise eine Einladung zum Essen, das durchweg schöne Wetter oder ein Lob des Chefs. Andererseits gibt es Dinge, für die Sie grundsätzlich in Ihrem Leben dankbar sind. Ihre Dankbarkeit darüber können Sie durchaus immer wieder schriftlich festhalten. Weitere Kandidaten für Dankbarkeit sind Ihre Partnerschaft, Kinder oder guten Freundschaften, in dieser noch immer besonderen Zeit, aber womöglich auch Ihre Festanstellung oder die Tatsache, dass Sie nach dem Lockdown wieder in Ihr Lieblingsrestaurant essen gehen oder Ihre Eltern oder Grosseltern besuchen können. Diese Übung mag womöglich ein wenig trivial anmuten, allerdings berichteten Probanden, die sie über zehn Wochen hinweg absolvierten, nicht nur über ein höheres Wohlbefinden als die Vergleichsgruppen, sondern auch über weniger körperliche Beschwerden wie Kopf-, Bauch- oder Brustschmerzen, Kurzatmigkeit oder Husten.[13] Äusserst beeindruckend, wie ich finde.

Anderen Gutes tun

Ich erinnere mich gut an die ersten Tage des Lockdowns. Ich lebe in der Berner Altstadt, wie Sie ja wissen, und ging damals wie bereits vor dem Lockdown üblich in der Innenstadt einkaufen. Die Strassen waren zu der Zeit in der Tat wie leergefegt, aber einkaufen konnte man immerhin noch. Wohl nicht nur ich war darauf erpicht, den Verkäufern, die unter sehr aussergewöhnlichen Umständen arbeiteten, ein angenehmer und freundlicher Kunde zu sein. Und ich stellte fest, dass das Personal das offenbar schätzte und durchaus auch bereit war, ein bisschen länger mit mir zu plaudern als unter normalen Umständen. Schlangen an den Kassen gab es zu der Zeit schliesslich nicht. Dass Menschen während Corona gerade auch Freundlichkeit und soziale Beziehungen viel wichtiger wurden, habe ich schon beschrieben. Deshalb will ich hier nun eine Übung vorstellen, bei der andere Menschen im Zentrum dessen stehen, was Sie tun können, um Ihr Glücklichsein zu erhöhen.

Ebenso wie im Fall von Optimismus und Dankbarkeit handelt es sich bei Freundlichkeit um eine Charakterstärke, die recht einfach kultiviert werden kann. In einer Untersuchung wurden die Teilnehmenden dazu angehalten, während sechs Wochen jede Woche fünf Taten zu vollbringen, die in irgendeiner Weise anderen zugutekommen: jemanden zum Kaffee oder Essen einzuladen, an der Kasse jemandem den Vortritt zu lassen, einer Organisation etwas Geld zu spenden, eine ältere verwandte Person zu besuchen, für den Nachbarn den Kehricht vors Haus zu stellen, Blut zu spenden oder Ähnliches. Diese Intervention führte zu einer Erhöhung des Glücklichseins, aber nur bei der Versuchsgruppe, die die fünf guten Taten an jeweils einem einzigen Tag vollbrachte, und nicht wie die andere Gruppe verteilt über eine ganze Woche. Beide Gruppen hatten also insgesamt dieselbe Anzahl an guten Dingen vollbracht, aber in unterschiedlichen »Dosierungen«.

Die Autoren der Studie erklären diesen Unterschied im Glücksempfinden damit, dass es sich bei den guten Taten in vielen Fällen um relativ kleine Dinge handelte, sodass nur deren Konzentration auf jeweils einen Tag pro Woche zu einem positiven Effekt führte.[14] Wenn Sie anderen Gutes tun, Ihre Menschenfreundlichkeit kultivieren und damit Ihr Glücklichsein erhöhen möchten, bedenken Sie das. Beachten Sie zudem: Tun Sie jeweils fünf Dinge, die über das Mass an guten Taten hinausgehen, das Sie normalerweise sowieso schon vollbringen. Die Möglichkeiten hierzu sind ja im Prinzip grenzenlos. Und variieren Sie Ihre guten Taten. Damit sorgen Sie für Abwechslung und wirken der Möglichkeit entgegen, dass Sie sich an Ihr Tun gewöhnen. Dass Gewöhnung einer der grossen Feinde anhaltenden Glücks ist, wissen wir ja. Weiter ist wichtig: Wenn Sie jemandem etwas Gutes tun, erwarten Sie nichts zurück. Kommt etwas zurück, so ist Ihnen das natürlich zu gönnen, aber machen Sie Ihr Glück nicht daran fest.[15] Falls Sie sich fragen sollten, ob anderen Gutes zu tun nicht egoistisch ist, da nicht nur die anderen, sondern Sie selbst auch davon profitieren: Wenn Sie aktiv sind, haben alle involvierten Parteien etwas davon. Bleiben Sie aber passiv, profitiert niemand.

Die vorgestellten Übungen zeigen auf, dass Glücklichsein insbesondere durch die Förderung von Charakterstärken wie Optimismus, Dankbarkeit und Freundlichkeit gefördert werden kann. Wie eingangs in diesem Kapitel erwähnt, ist es dabei entscheidend, dass Sie diese Übungen absolvieren, weil es Ihnen Freude bereitet, wichtig ist und Sie sich damit identifizieren können. Ist das nicht gegeben, wird eine Übung kaum wirksam sein, und Sie werden sie voraussichtlich bald abbrechen, falls Sie überhaupt damit beginnen. Sind aber Freude an und Identifikation mit einer Übung vorhanden, werden Sie sich dabei engagieren können und Sinn in dem erkennen, was Sie tun. Ist das der Fall, werden Sie durch Ihr Tun Charakterstärken kultivieren und positive Emotionen erleben, über deren mittel- und langfristige positive Effekte Sie ja bereits Bescheid wissen.

Dass der Weg zu mehr Glück aber durchaus auch über die Verarbeitung von negativen Ereignissen und entsprechend über das Durchleben von negativen Emotionen geschehen kann, veranschaulichen die beiden ersten vorgestellten Übungen. Das betone ich zum Ende dieses Kapitels nicht nur, weil es aus einer theoretischen Perspektive angebracht ist, sondern auch, weil es ganz praktisch aufzeigt, dass eine seriöse Glücksforschung sich keinesfalls nur den Sonnenseiten des Lebens zuwendet. Manchmal regnet es.

3

Balance finden

Dass Corona bei zahlreichen Menschen das Glücklichsein reduziert und Symptome von psychischen Erkrankungen ausgelöst oder verstärkt hat, könnte man auch
aus einem anderen Blickwinkel betrachten: Viele Menschen sind aus ihrer inneren Mitte geraten. Was durch
Corona geschehen ist, zeigt einen wichtigen Grundsatz
auf, wenn es um die Frage geht, wie Menschen glücklich oder eben unglücklich werden können. Nimmt man
hier eine Adlerperspektive auf das Leben ein, kann *in der
eigenen Mitte zu sein* auch als Zustand der Ausgeglichen-
heit auf verschiedenen Ebenen betrachtet werden – als
Balance.

Was geschieht zum Beispiel, wenn Sie über längere
Zeit zu wenig Schlaf bekommen? Dann gerät das Verhältnis zwischen Aktivität und Ruhe aus dem Gleichge-
wicht, weil es zu wenige Ruhephasen gibt. Was geschieht,
wenn Sie vor lauter Arbeit nicht mehr ausreichend dazu
kommen, sich Ihren Liebsten und Ihren Hobbys zu widmen? Dann haben Sie die sogenannte Work-Life-Balance
verloren. Und was geschah nun im Speziellen während
Corona mit Menschen, die mit der neuen Situation

schlecht klarkamen? Sie gerieten aus der Balance. In diesem Kapitel will ich aufzeigen, dass Balance im Kontext der Glücksforschung ein zentrales Stichwort ist. Das erläutere ich nachfolgend anhand einiger zunächst allgemeineren und dann spezifischeren Beispiele. Wie Sie sehen werden, gibt es zum Teil einen direkten Bezug zu den Geschehnissen seit dem Ausbruch von Covid-19.

Beginnen wir mit einem Beispiel, das die biologischen Wurzeln der menschlichen Psyche betrifft. Die Botenstoffe im Gehirn spielen hier eine wichtige Rolle. Der Persönlichkeitspsychologe Colin DeYoung und seine Mitarbeiter schlagen ein Modell vor, bei dem es auf einer grundlegenden Ebene zwei Systeme gibt, die die psychischen Prozesse steuern und auf diese Weise unsere Persönlichkeit mitbestimmen. Von dem einen System wird vermutet, dass es mit Serotonin in Verbindung steht und zuständig für psychologische Stabilität ist. Dieses System ermöglicht es uns zum Beispiel, dauerhafte Beziehungen und Interessen aufzubauen und zu verfolgen. Das andere System wird mit Dopamin in Verbindung gebracht, ist zuständig für Plastizität und dementsprechend für unsere Fähigkeit, uns an neue und unerwartete Umstände anzupassen – wie sie gerade auch durch Corona hervorgerufen wurden.[1]

Aus der Perspektive der Glücksforschung, aber auch der Gesundheitspsychologie, stehen nun diejenigen Menschen am besten da, die über eine gute Balance zwischen beiden Systemen verfügen. Wer (eher) stabil ist, dem wird es besser gelingen, zum Beispiel Beziehungen aufzubauen, Interessen zu entwickeln oder über längere Zeitspannen hinweg Ziele zu verfolgen, die mit den eigenen Bedürfnissen und Werten im Einklang stehen. Wie uns aber der Ausbruch von Corona vor Augen geführt hat, kann das Leben manchmal einer beträchtlichen Dynamik unterworfen sein. Insbesondere in solchen Fällen ist es von grossem Vorteil, sich an rasch verändernde Gegebenheiten anpassen zu können. Wer über weniger psychische Plastizität verfügt, wird eher Mühe haben, in herausfordernden Zeiten mit den Gegebenheiten klarzukommen, weil bei ihm enge und rigide Denkmuster vorherrschen. »Es kann doch nicht sein, dass wegen des Virus Restaurants und Fitness-Center schliessen und sogar die für den Sommer 2020 geplante Fussball-Europameisterschaft verschoben wird!« Doch, kann es, ganz offensichtlich – und zwar unabhängig davon, ob man das als angemessen erachtet oder nicht. Wer andererseits über wenig Stabilität verfügt, verliert schnell die Bodenhaftung und wirkt möglicherweise wie das sprichwörtliche Fähnlein im Wind, das seine Haltungen und Meinungen ständig ändert. Ideal ist demnach eine im wahrsten Sinne des Wortes gesunde Balance zwischen Stabilität und Plastizität.

Die Tatsache, dass es ohne negative Emotionen nicht geht, habe ich in diesem Buch wiederholt angesprochen. Authentisches Glücklichsein kann dementsprechend nicht darin bestehen, sich dauerhaft prächtig zu fühlen. Das ist weder realistisch noch gesund. Ja, positive Emotionen fühlen sich gut an, aber ohne negative Emotionen kommen wir nicht gut durchs Leben. Ohne sie würden uns wichtige Signale fehlen, die uns aufzeigen, wo Herausforderungen stecken und dass ihnen begegnet werden kann. Ärgern wir uns zum Beispiel über unseren Chef oder Partner, so könnte das die Option eines klärenden Gesprächs anzeigen. Haben wir grosse Angst vor Prüfungssituationen, könnte uns das darüber nachdenken lassen, wie diese Angst beseitigt oder zumindest verringert werden könnte. Das gilt natürlich potenziell auch für die Angst vor einem Virus sowie gegebenenfalls vor schwer absehbaren wirtschaftlichen oder politischen Entwicklungen.

Im Zusammenhang mit negativen Emotionen und dem Platz, den wir ihnen einräumen, scheint mir der Tod eines nahestehenden Menschen ein Paradebeispiel zu sein. Bedeutet Trauern in dem Fall nicht zuletzt, den Menschen, der nun nicht mehr da ist, zu würdigen und ihn in liebevoller Erinnerung zu behalten? Geschieht dadurch nicht eigentlich etwas »Gutes«, obschon dieser Prozess natürlich äusserst schmerzvoll ist? Genauso, wie sich negative Emotionen nicht vermeiden lassen *sollen*, geht es im Leben andererseits gerade auch darum, das Schöne und Gute zu erkennen und zu zelebrieren. Auf der Ebene des Erlebens steht uns diesbezüglich eine breite Palette an Emotionen zur Verfügung, wie zum Beispiel Liebe, Freude, Zufriedenheit, Dankbarkeit, Interesse oder Hoffnung. Schliesslich dürfte es darum gehen, eine gute und gesunde Balance zwischen positiv und negativ geartetem Erleben zu finden, wobei »negativ« im emotionspsychologischen Kontext eben oft nicht mit

»negativ« im Hinblick auf ein möglichst erfülltes Leben gleichzusetzen ist. Erinnern Sie sich in dem Zusammenhang an das *Glück der Fülle*, das anerkennt, dass ein Leben ohne das Unangenehme, das Schmerzliche und das Negative undenkbar ist?

Ich darf einen guten Freund von mir ab und zu darauf hinweisen, dass er gedanklich manchmal etwas gar weit in die Zukunft abdriftet und er daher den Augenblick möglicherweise weniger geniessen kann. Anderen wiederum könnte man vorwerfen, sie leben ziemlich ausgeprägt in der Vergangenheit. Die geistigen Fähigkeiten von uns Menschen werden nicht zuletzt dann augenfällig, wenn wir uns vergegenwärtigen, dass es uns möglich ist, mentale Zeitreisen vorzunehmen. Was haben Sie am vergangenen Sonntagnachmittag gemacht? Wo waren Sie am letzten Silvester, oder wo werden Sie voraussichtlich morgen Abend sein? Gut möglich, dass Sie all diese Fragen binnen weniger Sekunden beantworten können. Mentalen Zeitreisen sei Dank.

Teams von Psychologen untersuchen seit gut zwei Jahrzehnten, wie sich verschiedene Zeitperspektiven, die Menschen einnehmen können, auf unser Denken, unsere Werte, unsere Einstellungen und unser Verhalten auswirken. Unterschieden werden dabei fünf Zeitperspektiven: wie gerade beschrieben *zukunftsorientiert* (was kann ich jetzt tun, damit sich die Zukunft positiv gestaltet?), *gegenwartsbezogen-hedonistisch* (geniesse den Moment!), *gegenwartsbezogen-fatalistisch* (das Leben ist schlecht und ich kann nichts dagegen tun), *vergangenheitsbezogen-posi-*

135

tiv (mein gutes Leben ist die Folge einer sehr schönen Vergangenheit) und *vergangenheitsbezogen-negativ* (mein schwieriges Leben ist die Folge einer problematischen Vergangenheit).

Zwar sind, wie die Forschung zeigt, beispielsweise Menschen mit Zukunftsorientierung eher gesundheitsbewusst, aber auch eher Workaholics. Menschen mit gegenwartsbezogen-hedonistischer Orientierung sind zwar sehr genussfähig, aber auch suchtgefährdet.[2] Je nachdem, mit welchen Möglichkeiten und Herausforderungen Situationen im Alltag verknüpft sind, besteht die (Lebens-)Kunst darin, eine bestimmte Zeitperspektive in den Fokus der Aufmerksamkeit zu rücken. Abzuraten ist grundsätzlich von gegenwartsbezogen-fatalistischen und vergangenheitsbezogen-negativen Perspektiven, denn die machen unglücklich – wie Sie sich wohl denken können.[3] Idealerweise wird eine der drei positiven Zeitperspektiven bezogen auf die Vergangenheit, Gegenwart und Zukunft eingenommen.

Ob Sie am Samstagnachmittag draussen mit Ihren Kindern herumblödeln, anschliessend einen romantischen Abend mit Ihrem Partner verbringen, sich am Donnerstagnachmittag auf der Arbeit überlegen, was Sie bis am Abend noch alles erledigen sollten, um bis dahin ein Projekt abschliessen zu können, oder ob sie allein in der Natur über das Leben und Dinge sinnieren, für die Sie sich dankbar schätzen können, sind qualitativ völlig unterschiedliche Situationen. Dementsprechend empfiehlt es sich zu versuchen, in Abhängigkeit von dem, was Sie gerade tun, Balance zwischen den verschiedenen möglichen Zeitperspektiven herzustellen, die Sie jeweils einnehmen.[4, 5]

Ideal wäre es zum Beispiel, einen spontan eingeschobenen freien Tag mit Ihren Liebsten voll und ganz zu geniessen und in der Gegenwart zu sein, ohne sich deswegen dann doch immer wieder ein schlechtes Gewissen einzureden. Bleiben Sie in dem Fall gegenwartsbezogen-hedonistisch – zukunftsorientiert können Sie am nächsten Tag bei der Arbeit wieder sein. Die fünf Zeitperspektiven stellen meines Erachtens, das sei hier kurz erwähnt, übrigens ein auffallend gutes Beispiel für die in diesem Buch bereits mehrfach erwähnten willentlichen Aktivitäten dar. So steht es uns in jedem Moment unseres Lebens frei, zumindest theoretisch, unsere Aufmerksamkeit auf positive oder negative Aspekte unserer Vergangenheit, Gegenwart oder antizipierten Zukunft zu richten.

Es ist sehr gut möglich, dass auch Sie während des Lockdowns aufgrund der auferlegten Bestimmungen Menschen nicht sehen konnten, die Ihnen sehr nahestehen. Das dürfte Ihnen ebenso wie weltweit vielen anderen Menschen grosse Mühe gemacht haben. Kein Wunder, denn das Pflegen von Beziehungen zu geliebten Menschen ist für unser Glücklichsein von enormer Bedeutung.[6] Wenn es uns verunmöglicht wird, uns mit diesen Menschen zu treffen, so schlägt das aufs Gemüt.

Im Frühjahr 2020 gab es aber nicht nur lang andauernde Trennungen von geliebten Menschen. Manche Paare, Familien und Wohngemeinschaften waren zu konstanter Nähe gezwungen. Sie waren in ihren Behausungen gewissermassen eingesperrt, was teilweise zu enormen Spannungen geführt hat. Studien aus verschiedenen Ländern zeigten, dass infolge der Lockdowns häusliche Gewalt bedauerlicherweise und zum Teil sprunghaft angestiegen ist.[7] Das Jahr 2020 hat uns demnach nebst vielem anderen vor Augen geführt, dass Balance von zentraler Bedeutung ist – besonders wenn es um soziale Beziehungen geht: Balance zwischen Nähe und Distanz.

Ja, wir Menschen sind hochsoziale Wesen und brauchen unsere Liebsten um uns herum, aber Menschen benötigen ebenso dringend Raum und Zeit für sich selbst, um ihren eigenen Interessen nachgehen zu können. Motivationspsychologische Studien betonen, dass nicht nur Verbundenheit, sondern auch Autonomie ein zentrales psychologisches Grundbedürfnis ist.[8] Was beispielsweise Liebesbeziehungen betrifft, weist die Forschung darauf hin, dass Bemühungen, diese Beziehungen trotz herausfordernder Situationen aufrechtzuerhalten, dann am erfolgreichsten sind, wenn einerseits von starken Gefühlen der Verbundenheit zum Partner, aber andererseits auch von hoher Autonomie berichtet wird.[9] Wir brauchen demnach viel Nähe zu unseren Liebsten, aber manchmal eben auch Distanz.

Im Frühjahr 2020 und in den darauffolgenden Monaten standen so einige Fragen im Raum. Wie gefährlich ist das Virus? Welche Massnahmen verfügt die Regierung und sind sie angemessen? Wirken Masken, und falls ja, welche? Wann steht ein wirksamer und sicherer Impfstoff zur Verfügung? Indem ich diese Fragen auflistte, möchte ich verdeutlichen, dass 2020 durch Corona einiges an Diskussionsstoff geboten wurde.

Mit dem folgenden Beispiel bleiben wir im zwischenmenschlichen Kontext. Womöglich haben auch Sie mit Menschen aus Ihrem Umfeld über solche Fragen diskutiert. Unter Umständen kam es dabei zu Spannungen, denn zumindest einige der genannten Fragen, die heute je nach Betrachtungsweise als beantwortet angesehen werden können, standen damals noch ziemlich offen im Raum. In dem Zusammenhang ist es interessant, sich darüber im Klaren zu sein, dass die Absicht, andere von der eigenen Meinung überzeugen zu wollen, Ausdruck eines *Machtmotivs* ist. Wie die Forschung zeigt, machen solche Überzeugungsversuche unglücklich.[10] Das gilt natürlich insbesondere dann, wenn das Gegenüber auf seiner Meinung beharrt. So entsteht rasch ein Konflikt.

Vielleicht hat die Zeit seit dem ersten Lockdown Sie dahingehend sensibilisiert, dass es nicht immer angebracht ist, über alles zu diskutieren, worüber man prinzipiell diskutieren *könnte*. Diskussionen machen natürlich Sinn, wenn es zum Beispiel darum geht, in welche Schule die Kinder gehen sollen oder was das Ferienreiseziel sein soll – schliesslich geht es in diesen Fällen ja darum, eine für alle Betroffenen zumindest akzeptable Entscheidung zu treffen. In anderen Situationen könnte es sich demgegenüber eher empfehlen, voneinander abweichende Meinungen im Raum stehen zu lassen, getreu dem Motto »einigen wir uns darauf, dass wir uns nicht einig sind«. Wenn das Politiker können, können wir das auch. Wenn wir unser Leben mit anderen Menschen teilen, so befinden wir uns selbstverständlich beziehungsweise hoffentlich in einem regen Austausch mit ihnen. Was wir dabei jedoch alles besprechen und diskutieren und worüber wir debattieren, ist hingegen eine Frage der Balance. Über alles zu sprechen, worüber man sprechen *könnte*, ist womöglich gerade in Zeiten von Corona zu viel des Guten und unseren Beziehungen nicht dienlich.

Eine letzte Thematik, die ich im Zusammenhang mit dem Stichwort Balance ansprechen will, baut auf der Erkenntnis auf, dass es dem Glücklichsein förderlich ist, im Leben realistische Ziele zu verfolgen, die mit den eigenen Werten und Bedürfnissen übereinstimmen.[11] So könnten Sie zum Beispiel die Ziele verfolgen, ein liebevoller Elternteil zu sein, im Rahmen Ihrer Erwerbstätigkeit gute Arbeit abzuliefern oder bereichernde Beziehungen mit Ihren besten Freunden zu führen und aufrechtzuerhalten. So weit, so gut. Vielleicht haben Sie aber im vorvorletzten Satz einem ganz entscheidenden Wort zu wenig Aufmerksamkeit geschenkt? *Realistische* Ziele steht dort.

Was mir seit einiger Zeit zum Teil auch in meinem persönlichen Umfeld auffällt, wird durch wissenschaftliche Studien untermauert: Perfektionismus drückt aufs Gemüt.[12] Gehören Sie zu den Menschen, die es anderen und sich selbst immer recht machen wollen und oft an sich selbst zweifeln, weil Sie zum Beispiel als Mutter oder

Vater oder am Arbeitsplatz nicht immer so sein können, wie Sie das Ihrer Meinung nach eigentlich sein sollten? Dann rate ich Ihnen, zwischen genau diesen realistischen und unrealistischen Erwartungen an sich selbst zu unterscheiden. Unterschiedliche Tagesformen entsprechen der Realität. Aus diesem Grund können Sie nicht an jedem Tag der Partner oder Mitarbeiter sein, der Sie gern wären. Gehen Sie also nicht zu hart mit sich ins Gericht. Im Leben etwas von sich selbst zu erwarten, ist ein edles Ziel – aber übertreiben Sie es nicht! Finden Sie auch diesbezüglich eine gute Balance zwischen den grundsätzlichen Erwartungen an sich und dem, was realistisch ist. Denken Sie, ich hätte an diesem Buch an jedem Tag, an dem ich mir das vorgenommen hatte, locker zwei oder drei Seiten geschrieben? Wenn Sie wüssten … Einer meiner Lieblingssprüche lautet: »Niemand ist perfekt. Wer weiss das besser als ich?« Nur lasse ich mich dadurch nicht verrückt machen.

Vergegenwärtigen Sie sich, dass Sie Ziele wie die oben genannten auch dann erreichen können, wenn Sie nicht in jedem Moment so sind, wie Sie das gern wären oder denken, sein zu müssen. Eine einzige Nacht mit zu wenig Schlaf kann beispielsweise genügen, um am folgenden Tag zu »versagen«.[13] Das ist nichts weiter als menschlich und darf so sein. Ich bin davon überzeugt, dass wir nicht hier auf Erden sind, um perfekt zu sein, sondern um *menschlich* zu sein. In der Tat ist es so, dass Selbstakzeptanz eine Komponente psychischer Gesundheit darstellt – gerade auch bezogen auf die eigenen Unzulänglichkeiten und das eigene Nicht-perfekt-Sein.[14] Wenn also Lenny Kravitz seinen Song »Eleutheria« mit den Worten »Mein Leben ist perfekt, weil ich es so akzeptiere, wie es ist« anstimmt, könnten vielleicht gerade die grössten Perfektionisten mal versuchen, ein bisschen mitzusingen. Falls Sie sich zu dieser Gruppe von Menschen zählen, aber denken, Sie können nicht besonders gut singen, könnten Sie das im stillen Kämmerlein tun. Denn eben, Selbstakzeptanz schliesst nicht aus, dass man nicht versuchen kann, stets sein Bestes zu geben. Dass das an gewissen Tagen indes leichter fällt als an anderen, habe ich vorangehend aufzuzeigen versucht.

Meine Auflistung von Themen, bei denen Balance von Relevanz ist, ist alles andere als abschliessend. Vielleicht sind Ihnen bei der Lektüre dieses Kapitels weitere mögliche Beispiele eingefallen. Ich habe mich auf einige ausgewählte Aspekte konzentriert, mit der Absicht darzulegen, auf welchen Ebenen wir versuchen können, ein möglichst balanciertes und damit hoffentlich glückliches und erfülltes Leben zu leben. Erreichen von Balance ist indes nicht nur in meinen Augen von zentraler Bedeutung. Vielmehr inspirierte mich Jonathan Haidt dazu, ein Kapitel der vorliegenden Art überhaupt erst zu schreiben. Alles andere als Zufall, dass er sein Buch »Die Glückshypothese« mit einem kurzen und sehr berührenden Kapitel mit dem Titel »Über Balance« beendet. Haidt argumentiert darin, dass es ohne Balance kein Glück gibt.[15] Gern schliesse ich dieses Kapitel mit der wärmsten Empfehlung an Sie ab, dieses Buch auch zu lesen.

4

Sein

Vor rund fünf Jahren machte ich eine schwierige Zeit durch. Beginnend bei den ersten gesundheitlichen Beschwerden bis hin zum Befund, dass es ein gut- und nicht etwa ein bösartiges Geschwür war, das mir so manche schlaflose Nacht beschert hatte, dauerte es acht Monate. Nach dieser erfreulichen Diagnose brauchte ich nochmals gut ein paar Wochen, bis es mir psychisch wieder gut ging. Ich hatte in diesen acht Monaten und nach doch so einigen Untersuchungen nicht nur gelernt, dass auch Medizin keine exakte Wissenschaft ist, sondern mir wurde gerade im Nachgang dieser Krise klar, dass ich in dieser Zeit unmöglich beispielsweise künstlerisch kreativ hätte sein können oder gar an einem Buch über Glück schreiben. Positive Emotionen? »Bitte nicht.« Charakterstärken? »Nein, danke.« Bereits vor diesem Vorfall hatte ich mich hin und wieder mit einer Theorie beschäftigt, der ich mich wieder widmete, als ich dieses Buch schrieb. Diese Theorie und die folgenden Überlegungen fussen auf Gedanken von Barbara Fredrickson, die Sie bereits aus dem zweiten Kapitel kennen. Als ich ihr Buch »Positivität« kurz nach seinem Erscheinen vor zehn Jahren las, hatte ich die folgenden Ausführungen bereits dick mit Leuchtstift markiert. Ich denke, es macht Sinn, an dieser Stelle auf diese Ausführungen zurückzukommen.

Fredrickson beschreibt eine Situation, die sie während eines mehrtägigen Meditationskurses in der Natur erlebte. Sie führt ihre Gedanken darüber weiter, was mit uns geschieht, wenn wir zum Beispiel tiefste Dankbarkeit, wahre Inspiration oder überwältigende Ehrfurcht erleben oder wenn unser Herz vor Freude zu tanzen scheint. Wie ich bereits beschrieben hatte, öffnet sich unser Geist in Momenten, in denen wir positive Emotionen erleben. Laborforschung bestätigt das. Die tiefen emotionalen Erfahrungen, die Fredrickson in der Natur erlebte, gehen aber weit über das hinaus, was Menschen im Rahmen einer wissenschaftlichen Untersuchung in kargen Räumlichkeiten und im Beisein von sogenannten Versuchsleitern üblicherweise erleben.

Gemäss Barbara Fredrickson vermögen äusserst intensive positive Emotionen unseren Geist derart weit zu öffnen, dass wir zu der Erkenntnis gelangen, dass alles miteinander verbunden, dass alles eins ist. Solche Erfahrungen verfügen über einen nur schwer schätzbaren, ausserordentlich grossen Wert und über ein überaus hohes Potenzial, uns inneren Frieden und tiefes Glück zu bringen.[1] Ist es, so meine Gedanken dazu, schliesslich nur eine Illusion, gewissermassen ein Trick unseres Egos, dass wir unter »normalen« Umständen den Eindruck haben, wir seien nur wir selbst und getrennt vom Bewusstsein von allem anderen, was Leben ist?

Was ist Leben im Kern eigentlich? Vielleicht nichts anderes als eine wohlwollende, liebevolle, höchst kreative und spielerische Energie? Ist allumfassende Liebe einfach ein anderer Begriff für Leben? In spirituellen Kreisen hört und liest man in dem Zusammenhang immer mal wieder vom Begriff »Quelle«, mit dem diese Energie beschrieben wird. Und wer sich mit den folgenden Begrifflichkeiten identifizieren kann, an den richte ich die Frage: Könnte es sein, dass diese Energie Gott oder das Göttliche ist? Nun, ich weiss es nicht, aber mit dem Gedanken kann ich einiges anfangen. Der Erste, der in die Richtung denkt, bin ich ja beileibe auch nicht.

Haben Sie das Filmdrama »American Beauty« aus dem Jahr 1999 gesehen, das fünf Oscars gewann? Und erinnern Sie sich an die Szene mit der Plastiktüte, die minutenlang durch die Luft schwebt? Ricky Fitts, der die Szene filmte und seiner Freundin zeigte, beschrieb, wie er genau diese wohlwollende Energie in dieser Situation spürte. Diese Energie, die hinter allen Dingen steckt, die ich zuvor angesprochen habe. Denkansätze, die in dieselbe Richtung gehen, finden sich aber nicht nur in Filmen, sondern auch bei grossen Figuren der Wissenschaft.

Max Planck, der berühmte deutsche Nobelpreisträger und Mitbegründer der modernen Physik, argumentierte in ähnlicher Weise, dass alle Materie (eingeschlossen das Buch, das Sie gerade in Ihren Händen halten) nur durch eine Kraft entsteht und besteht und dass hinter dieser Kraft ein bewusster intelligenter Geist anzunehmen sei, als Urgrund aller Materie.[2] Später argumentierte Max

Planck darüber hinausgehend, nicht die zwar sichtbare, aber vergängliche Materie sei das Reale, Wahre, Wirkliche, sondern der unsichtbare, unsterbliche Geist, dessen Ursprung der Ursprung von allem sei – ein »geheimnisvoller Schöpfer«. Planck bezeichnete diesen Ursprung von allem schliesslich als »Gott«.[3] Hält man sich Plancks Hintergrund als herausragenden Physiker vor Augen, so ist es durchaus erstaunlich, dass er gegen Ende seines Lebens, nach Jahrzehnten intensiver wissenschaftlicher Forschung zu dieser Welterklärung kommt.

Wie auch immer man diese Energie nennen will und um auf die Ausführungen zurückzukommen, mit denen ich dieses Kapitel begonnen habe: Ich weiss mit Bestimmtheit, dass ich in der schwierigen Phase meines Lebens nicht weiter davon hätte entfernt sein können, zu erkennen und zu erfahren, was Fredrickson in ihrem Buch beschreibt. Sie betont – und ich tue das hier, wie Sie wissen, auch nicht zum ersten Mal –, dass wir im Leben nicht um schwierige Situationen herumkommen. Darum kann es also nicht gehen. Es geht Fredrickson und auch meiner Meinung nach darum, ein möglichst erfülltes und glückliches Leben leben zu können. Das für sich allein ist ein lohnendes Ziel. Doch ist es darüber hinaus gut möglich, dass gerade Bewusstseinszustände, die mit solchen intensiven positiven Emotionen gekoppelt sind, wie Fredrickson sie beschreibt, uns später dabei unterstützen, besser mit den schwierigen Situationen klarzukommen. Im besten Fall können wir sogar daran wachsen. Dass Menschen als Folge von Krisen posttraumatisches

Wachstum erleben können, habe ich in diesem Buch ja bereits thematisiert, und aus Krisen wachsen konnten Menschen natürlich bereits vor Corona.[4]

Es ist wohl kein Zufall, dass Fredrickson die geschilderten Erfahrungen während eines Meditationskurses machte. Bei der wiederholten Lektüre ihrer Ausführungen hatte ich den Eindruck, dass sie sich mit diesem Verfahren sehr gut identifizieren konnte und grossen Gefallen daran fand. Mir persönlich ist Meditation als Methode zur Förderung der psychischen und körperlichen Gesundheit und des Glücklichseins nicht nur grundsätzlich sehr sympathisch – eine grosse Anzahl von Studien bestätigt ihre positive Wirkung auf die psychische und physische Gesundheit.[5]

Vielleicht werde ich mich dem Verfahren der Meditation deshalb zu einem späteren Zeitpunkt in meinem Leben widmen ... Ich kann Fredricksons Erläuterungen aber auch deshalb gut nachvollziehen, weil ich Empfindungen der von ihr beschriebenen Art ebenfalls kenne, allerdings in einem anderen Kontext: Es gibt Phasen, in denen ich über Monate hinweg nicht komponiere, aber manchmal ist es mir vergönnt, dass ich sehr kreativ bin. Dann ist es gut möglich, dass ich eine erste Idee entwickle, in den kommenden Stunden oder wenigen Tagen ein Stück fertigschreibe, einspiele und einsinge. Bevor ein Stück professionell abgemischt wird, höre ich es mir unzählige Male an, um doch noch etwas zu entdecken, das optimiert werden könnte. Nach längeren und manchmal nach kürzeren solcher Phasen komme ich dann zum

Schluss, dass das Stück fertig ist. Insbesondere wenn der gesamte Prozess bemerkenswert schnell vonstattengeht, getragen von grosser Freude, tiefer Zufriedenheit und Dankbarkeit für die Inspiration, frage ich mich immer mal wieder, woher das entstandene Stück denn eigentlich »kam«. Nun, ich habe das Stück ja komponiert, also ist das eine unangebrachte Frage, mögen Sie denken. Aber wissen Sie was? Ich bin mir da nicht so sicher.

Meines Erachtens entsteht Kunst im besten Fall basierend auf einer Abfolge von inspirativen Prozessen. Aber wodurch genau wird der Künstler inspiriert? Gar durch die vorhin angesprochene wohlwollende Energie, die durch den Künstler fliesst? Vielleicht. Ich kann ein weiteres Beispiel anführen, das für Sie die Sache möglicherweise besser nachvollziehbar macht, wenn Sie nicht künstlerisch tätig sind: Manchmal sehe ich in öffentlichen Verkehrsmitteln ein Kleinkind, das mit einem Erwachsenen unterwegs ist. Oft ist es dann nur ein kurzer Augenblick oder es sind wenige Sekunden, in denen sich die Blicke dieses Kindes mit meinen kreuzen. Dann habe ich das Gefühl, dass es eben genau diese wohlwollende Energie, dieses Leben an sich ist, das mir direkt in die Augen schaut und mein Herz trifft. Wer will mich in dem Moment daran erinnern, dass auch das Kind und ich eins sind?

In der Folge möchte ich argumentieren, dass die beschriebenen Zustände des weit geöffneten Geistes als reines Sein bezeichnet werden könnten und dass das der vielleicht wichtigste, anstrebenswerteste und am meisten Glück bringende Zustand ist, den Menschen erleben können. Gut möglich, dass meine vorhergehenden Ausführungen und die beiden Beispiele für Sie zu wenig greifbar waren. Vielleicht fällt Ihnen da etwas anderes ein, bei dem Sie diese tieferen Zusammenhänge erahnen.

Gehen wir doch einen Schritt zurück und schauen uns an, was Sein nicht ist. Nehmen wir an, Sie liegen nachts im Bett und können nicht schlafen. Sie grübeln, Ihre Gedanken kreisen, Sie kommen nicht zur Ruhe. Sie machen sich Sorgen wegen einer Leistung bei der Arbeit, die Ihrer Meinung nach nicht allzu löblich war und die der Chef noch begutachten wird, oder haben Angst vor einer bevorstehenden Aussprache mit einer guten Freundin. Oder Sie verbringen an einem sonnigen Tag Zeit mit Ihren Liebsten, können die Stunden aber nicht geniessen, weil Sie ständig daran denken müssen, was Sie bis morgen noch alles erledigen müssen. Es quälen Sie auch noch Gedanken daran, dass Sie einiges bereits gestern oder noch besser vorgestern hätten erledigen sollen. Richtig, manchmal lassen sich solche Zustände schwerlich vermeiden, manchmal drückt der Schuh. Aber sollten wir uns quasi »routinemässig« mit solchen unguten Befindlichkeiten herumschlagen?

Die Forschung hat gezeigt, dass solches Gedankenwandern oder Ruminieren aufs Gemüt drückt. Es richtet den Fokus der Aufmerksamkeit nur zu gern beispielsweise darauf, was gestern hätte sein sollen oder uns morgen erwarten könnte, aber eben gerade nicht auf das, was in dem fraglichen Moment einfach ... ist.[6] So gesehen ist reines Sein ein Zustand, in dem wir uns angst- und sorgenfrei und ohne nervtötende, sich ständig wiederholende Gedanken durch die Welt bewegen. Ja, fortwährend kann das wohl kaum jemand. Aber was ist, wenn wir die Zeit mit unseren Liebsten geniessen können? Herzhaft mit Freunden lachen oder höchst angeregt mit ihnen diskutieren? Wenn wir bei unserer Erwerbstätigkeit aufgehen und im Fluss sein können? Wenn wir ein leckeres Mahl zubereiten, ein Bild malen, Musik hören oder selbst musizieren? Meditieren oder Sport treiben? Draussen in der Natur sind? Wenn wir ruhig und gut schlafen können? Dann können wir *sein*. Man könnte es auch so formulieren: Sein bedeutet, in unserem Leben das tun zu können, was wir eigentlich tun möchten, ohne dass wir dabei durch Sorgen, Selbstzweifel, Bewertungsängste, Schuldgefühle, Traumata oder Ähnliches daran gehindert werden.

Erinnern Sie sich an die drei Wege zum Glück? Genussfähigkeit, Engagement und Sinnerkennung. Auf Berndeutsch gibt es den Ausdruck »ä chli sii« (»ein bisschen sein«), was als eine Beschreibung von Genussfähigkeit ausgelegt werden kann. Prototypisch für das Engagiertsein ist der Flow-Zustand, der wesentlich durch fliessendes Tun gekennzeichnet ist, im Zusammenhang mit Dingen, die wir sehr gut können, sowie durch Angstfreiheit vor negativen Bewertungen dieses Tuns durch uns selbst oder durch andere.[7] Und: Ergibt es für Sie Sinn, wenn Sie etwas, das Sie von Herzen gern tun möchten – zum Beispiel einfach nur gut schlafen, aber beispielsweise auch Ihnen wichtige Projekte bei der Arbeit oder in der Freizeit verwirklichen –, nicht tun können, weil Sorgen, Ängste, Bedenken oder Ähnliches Sie daran hindern? Oder umgekehrt formuliert: Wenn Sie, ohne daran gehindert zu werden, die Dinge in Ihrem Leben tun können, die Ihnen wichtig sind, mit denen Sie sich wahrhaftig identifizieren können und die Sie gern tun – das macht für Sie möglicherweise Sinn. Genussfähigkeit, Engagement und Sinnerkennung können sich demnach im besten Fall in reinem Sein äussern.

Die Fähigkeit, möglichst oft in einen Zustand des reinen Seins zu gelangen, ist eng verknüpft mit Achtsamkeit. Die positive Wirkung von Achtsamkeit ist gerade auch im Umgang mit der Coronakrise bemerkenswert – wie ich bereits beschrieben habe. Eine entsprechende gegenwartsorientierte Haltung ist das zentrale Merkmal, das glückliche Menschen charakterisiert.[8] Tun Menschen Dinge, die mit ihren eigenen Werten, Bedürfnissen und Interessen im Einklang sind, so wird oft berichtet, dass sich das leicht und natürlich anfühlt und nicht als etwas, das viel Anstrengung und Schweiss erfordert.[9] Falls unser Tun dennoch mit viel Schweiss oder gar Tränen in Verbindung stehen sollte, dann ist es im besten Fall genau so von uns *gewollt*.

Denken Sie hier an das Beispiel des vermeintlich leidenden Fabian Cancellara auf seinem Fahrrad. Indes macht es Sinn, wenn wir ungewollt leiden und uns etwas sehr stark beschäftigt, dass wir uns zwischendurch mit angenehmen Aktivitäten ablenken.[10] Selbstverständlich ist es angezeigt zu versuchen, Probleme, die unser Befinden beeinträchtigen, falls irgendwie möglich zu lösen. Grübeln ist dabei jedoch nicht dienlich und es lohnt sich demnach, sogar in sehr herausfordernden Phasen des Lebens auch solchen Aktivitäten nachzugehen, die positive Emotionen auslösen. Das ermöglicht uns nämlich nicht nur eine temporäre Rückkehr ins Sein, sondern verbessert den Umgang mit eben solchen herausfordernden Situationen, wie wir aus dem Kapitel über positive Emotionen wissen.

Dem Autor und Buddhismus-Experten Bruce Alan Wallace gelang es im Oktober 2006 gemeinsam mit der Psychologieprofessorin Shauna Shapiro, in der renommierten Fachzeitschrift »American Psychologist« einen Artikel zu publizieren, in dem die zahlreichen Gemeinsamkeiten zwischen dem Buddhismus und der Glücksforschung thematisiert werden.[11] Von diesem Artikel zu erfahren, freute mich sehr – Sie wissen ja, für uns Psychologen ist es äusserst erhebend, wenn Kollegen zu den gleichen Ergebnissen kommen oder gleiche Auffälligkeiten entdecken wie wir.

Ich musste auch ein wenig schmunzeln. Bei meinen Recherchen in den Jahren zuvor waren nämlich die Berührungspunkte zwischen dem Buddhismus und den Befunden der Glücksforschung derart augenfällig, dass ich ein halbes Jahr vor Erscheinen des Artikels von Wallace und Shapiro einen Brief via E-Mail-Attachment an das Büro des 14. Dalai-Lama schickte, in dem ich auf diese Überlappungen hinwies. Das war am 13. April

2006 geschehen – ja, ich habe meinen Brief aufbewahrt.[12] Ich gehe zwar nicht davon aus, dass dieser Brief seine Heiligkeit jemals erreicht hat, doch möchte ich auf eine Geschichte aus der Blütezeit des alten China verweisen, die von buddhistischen Mönchen nach Japan gebracht wurde. Hier kommen wir zurück zur Thematik des reinen Seins.

Die *Zehn Ochsenbilder* beschreiben die schrittweise Entwicklung eines Hirten und buddhistischen Schülers hin zur Klarheit des Geistes. Ein Ochse versinnbildlicht darin das eigentliche Wesen dieses Hirten, der sich zu Beginn der Erzählung auf die Suche nach diesem eigenen inneren Wesen begibt. Er vermag, den Ochsen in einem zerklüfteten Gebirge zu fangen und zu zähmen, um ihn danach nach Hause zu bringen. In der Folge aber vergisst der Hirte seinen Ochsen und damit auch sein eigenes Selbst wieder. Durch dieses Vergessen gelingt ihm die Rückkehr zum Ursprung, zu der Quelle, der der Hirte entsprang. Auf der letzten Entwicklungsstufe angelangt, lebt der Hirte wieder in die Welt eingebunden, auf der Strasse unter dicht gedrängten Menschen. Mit offenem Herzen und einem mächtigen Lachen betritt er einen Markt. Er vermag nun, seine wahre Natur zu lehren.

Dieses zehnte und letzte Ochsenbild trägt den Titel »Hereinkommen auf den Markt mit offenen Händen«.[13] Könnte dieses Hereinkommen auf den Markt nicht verstanden werden als eben dieses reine Sein, das ich versucht habe zu beschreiben? Könnten die offenen Hände nicht für den Geist stehen, der weit geöffnet wird, wenn wir uns getragen von intensiven Gefühlen wie Freude, Zufriedenheit oder Dankbarkeit durch die Welt bewegen? Gibt es im Grunde mehr für uns zu tun auf dieser Welt, als einfach zu sein – wann immer uns das möglich ist, aber ohne das Gefühl zu haben, das tun zu *müssen*? Was denken Sie?

Kehren wir zum Schluss dieses Kapitels vom Fernen Osten zurück in den Westen. Von Meister Eckhart, dem einflussreichen deutschen Theologen, Philosophen und christlichen Mystiker, stammt der Ausdruck *esse est deus*, auf Deutsch *Sein ist Gott*.[14] Auch hier könnte man den Begriff »Gott« meines Erachtens durch »Leben«, »Liebe« oder »Quelle« ersetzen. Daraus könnte »Sein ist Liebe« entstehen. Durch welchen Begriff man »Gott« in Eckharts Zitat auch immer ersetzt, dem Sein wird eine äusserst wichtige Rolle zugeschrieben. Wenn es uns nun gelingen sollte, ebendiesem Sein möglichst viel Raum zu geben, mit offenen Händen den Markt des Lebens zu betreten, gelangen wir in Kontakt mit dem Leben an sich, mit dem Kleinkind im Bus, dem geliebten Menschen, der am Morgen neben uns erwacht, der weiten Wiese am sonnigen Frühlingstag oder dem Kunstwerk, dem wir unsere volle Aufmerksamkeit schenken. Viel psychologische Forschung zeigt den Wert solchen Seins auf, und ich habe in diesem Buch versucht, auf Möglichkeiten hinzuweisen, wie man versuchen könnte, sich einer entsprechenden geistigen Haltung anzunähern.

Ich thematisierte unter anderem, weshalb es Sinn macht und wie es möglich ist, positive Emotionen zu fördern und Charakterstärken zu kultivieren, wie mittels einfacher Übungen versucht werden kann, glücklicher zu werden oder ein ausgeglicheneres Leben zu leben. Ich habe beschrieben, was Sie in Ihrem Geist und durch Ihr Handeln tun könnten, um in diesen besonderen Zeiten glücklich zu sein, zu bleiben oder zu werden. Ich habe indes auch darauf hingewiesen, dass die genetischen Einflüsse auf unser Glücklichsein nicht unerheblich sind und dass gerade im Zuge der Coronakrise Menschen mit entsprechenden, eher belastenden Voraussetzungen in besonderem Mass gelitten haben. Andererseits habe ich ebenfalls versucht aufzuzeigen, dass es nicht selten unsere geistige Haltung dem Leben gegenüber ist, die zählt und die über unser Glück oder Unglück entscheidet. Was aus diesem Buch im Sinne eines kurzen Fazits folgen könnte, lässt sich wie folgt formulieren: »Erkenne dich selbst« – wie auf der viel zitierten Inschrift am Apollotempel von Delphi zu lesen ist. Tu das. Erkenne dein wahres Selbst mit all seinen Talenten, Bedürfnissen, Interessen und Wünschen und mache sie zur Basis deines Seins. Dann steht dir der Weg zum Glück frei.

Epilog: Umgang mit dem Tod und Blick in eine mögliche Unendlichkeit

Dass unser Leben in physischer Daseinsform irgendwann mit dem Vergehen des Körpers und dem Tod endet, ist eine unumstössliche Tatsache. Das war bereits vor Corona so. Ich habe mich nicht dazu entschlossen, dieses Buch mit dem vorliegenden Epilog zu beenden, weil als Folge der Coronakrise weltweit Menschen gestorben sind, sondern weil es im Leben eines jeden Menschen Phasen gibt, in denen man mit dieser Tatsache hadert. Zwei meiner Freunde haben sich in unserer Schulzeit Mitte der Neunzigerjahre das Leben genommen, was dazu führte, dass ich mich intensiv mit dem Tod auseinanderzusetzen begann. Im Februar 2021 verstarb mein Vater nach einem reich erfüllten Leben. So gesehen könnte argumentiert werden, dass mich der Tod meines Vaters dazu inspiriert hat, die vorliegenden Zeilen zu verfassen. Möglicherweise hätte ich einem Buch über das Glücklichsein einen Abschluss der vorliegenden Art jedoch auch dann angefügt, wenn Corona nicht ausgebrochen und mein Vater nicht kürzlich verstorben wäre. Der Verlust eines nahestehenden Menschen sowie der eigene Umgang mit der Endlichkeit des Lebens wirken sich nämlich entscheidend auf das eigene Glücksempfinden aus – auf welche Art und Weise auch immer.

Natürlich ist da meine Trauer über den Verlust des geliebten Menschen, doch ich beobachte bei mir auch innerpsychische Vorgänge, die nach einem Todesfall von Hinterbliebenen oft zu Protokoll gegeben werden: Verstorbene leben in unseren Herzen weiter und können unser Fühlen, Denken und Verhalten in beträchtlichem Mass beeinflussen. Das kann sich zum Beispiel darin äussern, dass sich Trauernde beim Treffen von Entscheidungen fragen, was im Sinne des Verstorbenen wäre, und dementsprechend handeln. Von Kindern wird ebenfalls berichtet, dass sie häufig zu ihren geliebten Verstorbenen sprechen.[1] Hier könnten Beispiele aus vielen anderen Lebensbereichen angefügt werden – als Komponist kommen mir in dem Zusammenhang einige wundervolle Musikstücke in den Sinn, die Hinterbliebene nach dem Tod von geliebten Menschen geschrieben haben.

Mir war es vergönnt, einige Wochen nach dem Hinschied meines Vaters die Inspiration zu erhalten, ein Musikstück zu seinem Gedenken zu komponieren. Was ich im Verlauf dieses Prozesses in vielen Momenten erlebte, könnte als Glück der Fülle bezeichnet werden: tiefe Trauer, aber auf einer Metaebene zudem ein sehr stimmiges Gefühl in dem Sinn, dass es richtig und angebracht und Ausdruck der Würdigung meines Vaters ist, zu leiden und Schmerz zu empfinden. Auch wenn er die Hinterbliebenen üblicherweise in Trauer zurücklässt, ist der Tod unausweichlich und gehört zum Leben dazu. An dieser Stelle verweise ich auf die beiden Übungen *Schreiben über ein schlimmes Ereignis* und *Wo sich eine Tür schliesst, öffnet sich eine andere* zur Förderung des Glücklichseins. Diese Übungen zur Minderung von Leiden in schwierigen Zeiten können auch bei einem Todesfall helfen, die Trauer besser zu bewältigen, und mein Kompositionsprozess könnte als eine Alternative zu ihnen betrachtet werden. Dass übrigens die Charakterstärke Optimismus in herausfordernden Zeiten im engsten Umfeld ihr Potenzial zu entfalten und Zuversicht zu verströmen vermag, stellt meine liebe Mutter, die ihren geliebten Mann verloren hat, so eindrücklich unter Beweis, dass mir die Worte fehlen, um das beschreiben zu können. Da mag ich noch so lange Psychologe sein.

Darüber hinaus, dass Verstorbene, wie vorgängig beschrieben, Einfluss auf unser Leben nehmen können, kommt es bemerkenswert oft vor, dass Hinterbliebene berichten, sie spüren deren Präsenz. Das ergab eine Übersichtsarbeit aus dem Jahr 2015, in der bisherige Studienergebnisse aus dem westlichen Kulturkreis analysiert wurden. Es zeigte sich, dass je nach Studie 30 bis 60 Prozent der befragten verwitweten Personen zu Protokoll gaben, seit dem Versterben ihres Ehepartners schon einmal den Eindruck gehabt zu haben, ihn zu spüren oder ihn zu hören oder zu riechen. Zur Frage, ob sie glauben, die Präsenz irgendeines anderen verstorbenen Menschen zu spüren, berichten die Studienteilnehmer etwas seltener, aber dennoch von solchen Erfahrungen. Diese Befunde mögen den einen oder anderen Leser sonderbar anmuten. In Japan zum Beispiel gelten solche Erfahrungen jedoch als völlig normal, was auf den Einfluss von kulturellen Gegebenheiten auf Denkhaltungen verweist – auch im Zusammenhang mit dem Tod.[2]

Gut möglich, dass Menschen, die berichten, Verstorbene zu spüren, gerade aus diesem Grund an ein Leben nach dem Tod glauben, oder daran zu glauben beginnen. Unabhängig davon, ob es ein Leben nach dem Tod gibt, könnte man sich fragen, ob der Glaube daran uns unser Leben sinnerfüllter und glücklicher leben lässt. Erachten Sie auch diese Frage als etwas sonderbar? In der Schweiz ist der Glaube an ein Leben nach dem Tod recht weit verbreitet. Im Rahmen einer 2019 durchgeführten Umfrage des schweizerischen Bundesamtes für Statistik berichtete knapp die Hälfte der mehr als 13.000 befragten Personen (45,1 %), dass sie sicher oder eher an ein Leben nach dem Tod glauben. Mehr als jede fünfte befragte Person (21,7 %) gab zu Protokoll, sich diesbezüglich sicher zu sein.[3] Im Widerspruch dazu steht in unserem westlichen Kulturkreis die Überzeugung, dass unsere Fähigkeit, das Leben zu *erleben* – sprich Dinge wahrzunehmen und Empfindungen zu haben – physiologischen Aktivitäten unseres Gehirns und Körpers entspringt. Ohne Gehirn und Körper wäre demzufolge das Erleben einer wie auch immer gearteten Form eines Lebens nach dem Tod gar nicht möglich.

Die mit diesen Überlegungen zusammenhängende spannende, aber auch ausgesprochen komplexe Frage, was menschliches Bewusstsein ist und wie es entsteht (oder ob es allenfalls einfach *ist*, ohne einen Anfang oder ein Ende zu haben), wird im Zusammenhang mit dem Phänomen der Nahtoderfahrungen nicht nur in sogenannten parapsychologischen Kreisen, sondern durchaus auch in der Mainstream-Psychologie diskutiert.

Von Nahtoderfahrungen berichten typischerweise Menschen, die in einer bestimmten Situation medizinisch, oder teilweise auch vom blossen subjektiven Empfinden her, dem Tod nahe waren, zum Beispiel während eines Herzstillstands.[4] Solche Berichte beinhalten die oft zitierten Wahrnehmungsphänomene des Erscheinens von verstorbenen Verwandten, eine Lebensrückschau oder ausserhalb des eigenen Körpers gewesen zu sein. Des Weiteren werden dabei auch äusserst bemerkenswerte Wahrnehmungen geschildert. Zum Beispiel, dass während dieser Erfahrung Zeit nicht mehr zu existieren und alles gleichzeitig zu sein schien, aber dennoch in bestimmten Abfolgen stattfand. Oder dass der eigene Körper oder Objekte wie zum Beispiel ein Sofa im dreidimensionalen Raum gleichzeitig aus allen Perspektiven betrachtet werden konnten.[5] Ich weiss nicht, wie es Ihnen geht, aber ich kann die Augen schliessen und versuchen, mir diese zeit- und raumbezogenen Phänomene vorzustellen, solange ich will, ich kriege das nicht hin. Aber immerhin ist es uns möglich, rein gedanklich nachzuvollziehen, was von Betroffenen zu Protokoll gegeben wird.

Vorstellen kann man sich hingegen wohl recht gut, dass solche ausserordentlichen Wahrnehmungsphänomene oder das Erscheinen von geliebten Verstorbenen oder religiösen Figuren häufig tief einschneidende Erfahrungen für die Betroffenen sind. Nahtoderfahrungen können so zu einer radikalen und zumeist positiv gearteten Veränderung von Werten und der Perspektive auf das Leben führen. Sie resultieren nebst beispielsweise der erlangten Überzeugung, den Sinn des Lebens besser zu verstehen, oft in einer geringeren Angst vor dem Tod und in einem verstärkten Glauben an ein Leben danach.[6] Ob man nun eine Nahtoderfahrung erlebt hat oder nicht, Studien zeigen, dass der Glaube an eine positiv geartete Form an ein Leben nach dem Tod mit höherer psychischer Gesundheit im Zusammenhang steht. So weisen Menschen, die an die Einheit mit dem Göttlichen oder an die Wiedervereinigung mit geliebten Verstorbenen nach dem Tod glauben, weniger Symptome von psychischen Störungen auf wie Depression, soziale Phobie oder Angststörungen. Im Sinne einer der zentralen Botschaften der Glücksforschung spielt also bezüglich der Frage, ob und wie es nach dem Tod weitergehen könnte, die objektive Realität (zumindest zu Lebzeiten) wiederum weniger eine Rolle als unsere persönlichen Einstellungen und Werte. Es ist der blosse *Glaube* an ein Leben nach dem Tod, der unsere psychische Gesundheit positiv beeinflussen kann.

Gemäss der Forschergruppe um den amerikanischen Psychologen Dr. Kevin Flannelly könnte das daran liegen, dass wir durch einen solchen Glauben unsere Erfahrungen in einen grösseren Kontext einordnen. Das könnte wiederum dazu führen, dass es uns gelingt, herausfordernde Situationen und gar traumatische Ereignisse als in letzter Konsequenz bloss vorübergehend zu betrachten. Darüber hinaus vermag uns der Glaube an ein Leben nach dem Tod gemäss Flannelly und seinen Mitarbeitern dabei zu unterstützen, unser Leben bewusster zu leben und ihm mehr Tiefe zu verleihen.[7,8] Unterstützen könnte uns hier besonders die Tatsache, dass Menschen, die an ein Leben nach dem Tod glauben, ebenso wie Menschen mit Nahtoderfahrungen weniger Angst vor dem Tod haben und ihn eher als natürliches Ende unseres irdischen Daseins akzeptieren.[9] Man beachte in dem Zusammenhang, dass im Buddhismus und im Hinduismus – immerhin zwei Weltreligionen mit 450 beziehungsweise 850 Millionen Anhängern – der Glaube an ein Leben nach dem Tod (sowie an Wiedergeburt) tief verankert ist. Vor dem Hintergrund einiger intensiver Gespräche über den Tod und die Angst vor ihm, die ich über die letzten mehr als 25 Jahre mit Freunden und Bekannten geführt habe, und im Zusammenhang mit unserem Glücksempfinden scheint mir all das erwähnenswert. In der jetzigen Zeit umso mehr, da sich wegen Corona viele Menschen ihrer Sterblichkeit bewusst(er) geworden sind.[10]

So wie die Überlegungen nach einem allfälligen Leben nach dem Tod entspricht auch diejenige Frage schliesslich einer Glaubenssache, weshalb und wozu wir Menschen überhaupt hier auf dieser Welt sind. Das wird von Philosophen und Theologen bis zum heutigen Tag angeregt diskutiert. Wer weiss, vielleicht erhalten wir die Antwort auf diese Fragen, wenn unser irdisches Dasein beendet ist. Bis dieser Tag kommt, hoffe ich, mit diesem Buch dazu beigetragen zu haben, dass Sie Ihr Leben hier auf Erden während dieser sehr fordernden Zeiten möglichst glücklich und sinnerfüllt leben können.

Quellenverweise

1 Einführung in die Glücksforschung
1.1 Welches Glück und welche Glücksforschung?

[1] Mahoney (2005)

[2] Seligman, Steen, Park & Peterson (2005)

[3] Schmid (2007)

[4] Haidt (2006)

[5] Diener & Seligman (2002)

[6] Fredrickson & Losada (2005)

[7] Rozin & Royzman (2001)

[8] Feldman Barrett & Gross (2001)

[9] Rosenberg et al. (2001)

[10] Fredrickson (2011)

[11] Seligman (2004)

[12] Sibley et al. (2020)

[13] Diener et al. (2000)

[14] Greyling et al. (2020)

[15] Joseph & Lewis (1998)

[16] Schiffrin & Nelson (2008)

1.2 Aufräumen mit Vorurteilen

[1] Peterson, Park & Seligman (2005)

[2] Ebd.

[3] Watson & Naragon (2009)

[4] Dalai-Lama (2005)

[5] Lyubomirsky & Lepper (1999)

[6] Urry et al. (2004)

[7] Steptoe et al. (2009)

[8] Lyubomirsky & Lepper (1999)

[9] Aristoteles (2004)

[10] Frey (2008)

[11] Kim-Prieto et al. (2005)

[12] Lyubomirsky, King & Diener (2005)

1.3 Was beeinflusst unser Glücklichsein?

[1] Lyubomirsky (2007)

[2] Haidt (2006)

[3] Lyubomirsky (2007)

[4] Jang, Livesley & Vemon (1996)

[5] Haidt (2006)

[6] Lyubomirsky (2007)

[7] Lyubomirsky, Sheldon & Schkade (2005)

[8] Aristoteles (2004)

[9] Lazarus (1991)

[10] Lyubomirsky (2001)

[11] Abbe, Tkach & Lyubomirsky (2003)

[12] Haidt (2006)

[13] Sheldon & Lyubomirsky (2006a)

1.4 Studien zu den Auswirkungen von Corona auf die Psyche

[1] Fiorillo & Gorwood (2020)

[2] Greyling et al. (2020)

[3] Sibley et al. (2020)

[4] Wissmath et al. (2021)

[5] Newby et al. (2020)

[6] Ettman et al. (2020)

[7] Chi et al. (2020)

[8] Polizzi et al. (2020)

[9] Tamiolaki & Kalaitzaki (2020)

[10] Liu et al. (2021)

[11] Kroencke et al. (2020)

[12] Gross et al. (2006)

[13] Conversano et al. (2020)

[14] Vazquez et al. (2021)

[15] Schabus (2021)

[16] Kompaniyets et al. (2021)

[17] Stein et al. (1988)

[18] Schabus (2021)

2 Die Glücksforschung vor dem Hintergrund von Corona
2.1 Positive Emotionen und Charakterstärken

[1] Fredrickson (2001)

[2] Fredrickson & Branigan (2005)

[3] Fredrickson & Joiner (2002)

[4] Fredrickson et al. (2000)

[5] Richman et al. (2005)

[6] Israelashvili (2021)

[7] Peterson & Seligman (2004)

[8] Park & Peterson (2009)

[9] Peterson & Seligman (2004)

[10] Park et al. (2004)

[11] Seligman, Steen, Park & Peterson (2005)

[12] Peterson & Seligman (2004)

[13] Gander & Wagner (2020)

[14] Liu & Wang (2021)

[15] Güsewell & Ruch (2012)

[16] Dahlsgaard, Peterson & Seligman (2005)

2.2 Werte und Ziele: Es kommt darauf an, was Sie wollen – und wieso

[1] Wilberforce Foundation (2020)

[2] Kasser & Ryan (1993)

[3] Kasser & Ryan (1996)

[4] Schmuck, Kasser & Ryan (2000)

[5] Elliot & Sheldon (1997)

[6] Ryan & Deci (2000)

[7] Sheldon & Elliot (1999)
[8] Sollberger (2007)

2.2.1 Nach innen gehen
[1] Walsch (1997)
[2] Waterman (1990)
[3] Csikszentmihalyi & Csikszentmihalyi (1992)
[4] Haidt (2006)
[5] Vallerand (2008)

2.2.2 Job, Karriere oder ... Berufung?
[1] Wrzesniewski et al. (1997)
[2] Harzer & Ruch (2012)
[3] Peterson & Seligman (2004)

2.3 Achtung, Glücksfalle!
[1] Linley & Joseph (2004)
[2] Schwartz (2000)
[3] Iyengar & Lepper (2000)
[4] Schwartz & Ward (2004)
[5] Baumeister & Vohs (2005)
[6] Sagiv, Roccas & Hazan (2004)
[7] Ryan & Deci (2001)
[8] Schwartz & Ward (2004)
[9] Schwartz (2000)
[10] Servan-Schreiber (2006)
[11] Wilson & Gilbert (2005)
[12] Dunn et al. (2008)
[13] Kasser (2004)
[14] Scherhorn (2007)
[15] Kasser, Ryan, Zax & Sameroff (1995)
[16] Roberts et al. (2008)
[17] Van Boven (2005)
[18] Puente Díaza & Cavazos Arroyo (2017)

[19] Frey (2008)

[20] Lyubomirsky & Ross (1998)

[21] Emmons (2003)

2.4 Glücklicher durch einfache Übungen

[1] Duckworth, Steen & Seligman (2005)

[2] Rashid (2015)

[3] Sheldon & Lyubomirsky (2006b)

[4] Lyubomirksy (2007)

[5] King (2001)

[6] Niederhoffer & Pennebaker (2005)

[7] Haidt (2006)

[8] Niederhoffer & Pennebaker (2005)

[9] ebd.

[10] Magyar-Moe (2009)

[11] Seligman, Steen, Park & Peterson (2005)

[12] Park, Peterson & Seligman (2004)

[13] Emmons & McCullough (2003)

[14] Lyubomirsky, Sheldon & Schkade (2005)

[15] Lyubomirsky (2007)

3 Balance finden

[1] DeYoung et al. (2002)

[2] Boniwell (2005)

[3] Zimbardo & Boyd (1999)

[4] Kashdan & Rottenberg (2000)

[5] Boniwell & Zimbardo (2004)

[6] Myers (2000)

[7] Javed & Mehmood (2020)

[8] Deci & Ryan (2000)

[9] Kluwer et al. (2020)

[10] Emmons (1999)

[11] Oishi et al. (1999)

[12] DiBartolo et al. (2008)

[13] Barnett & Cooper (2008)

[14] Keyes (2002)

[15] Haidt (2006)

4 Sein

[1] Fredrickson (2011)

[2] Planck (1914)

[3] Planck (1949)

[4] Haidt (2006)

[5] Ngô (2013)

[6] Killingsworth & Gilbert (2010)

[7] Csikszentmihalyi & Csikszentmihalyi (1992)

[8] Fordyce (1977)

[9] Werner et al. (2016)

[10] Nolen-Hoeksema et al. (2008)

[11] Wallace & Shapiro (2006)

[12] Sollberger (2006)

[13] Tsujimura & Buchner (2013)

[14] Brient (1996)

Epilog: Umgang mit dem Tod und Blick in eine mögliche Unendlichkeit

[1] Stroebe et al. (1992)

[2] Castelnovo et al. (2015)

[3] Roth & Müller (2020)

[4] Agrillo (2011)

[5] Jourdan (2011)

[6] Van Lommel et al. (2001)

[7] Flannelly et al. (2006)

[8] Flannelly et al. (2008)

[9] Harding et al. (2005)

[10] Pradhan et al. (2020)

Quellenverzeichnis

Abbe, A., Tkach, C. & Lyubomirsky, S. (2003). The art of living by dispositionally happy people. *Journal of Happiness Studies, 4* (4), 385–404.

Agrillo, C. (2011). Near-death experience: Out-of-body and out-of-brain? *Review of General Psychology, 15* (1), 1–10.

Aristoteles (2004). *Nikomachische Ethik.* Reclam.

Barnett, K. J. & Cooper, N. J. (2008). The effects of a poor night sleep on mood, cognitive, autonomic and electrophysiological measures. *Journal of Integrative Neuroscience, 7* (3), 405–420.

Baumeister, R. F. & Vohs, K. D. (2005). The pursuit of meaningfulness in life. In C. R. Snyder & S. J. Lopez (Hrsg.), *Handbook of positive psychology* (S. 608–618). Oxford University Press.

Boniwell, I. (2005). Beyond time management: how the latest research on time perspective and perceived time use can assist clients with timerelated concerns. *International Journal of Evidence Based Coaching and Mentoring, 3* (2), 61–74.

Boniwell, I. & Zimbardo, P. (2004). Balancing time perspective in pursuit of optimal functioning. In P. A. Linley & S. Joseph (Hrsg.), *Positive Psychology in Practice* (S. 165–178). John Wiley & Sons.

Brient, E. (1996). Esse est Deus: Meister Eckharts christologische Versöhnung von Philosophie und Religion und ihre Ursprünge in der Tradition des Abendlandes (Review). *Journal of the History of Philosophy, 34* (3), 458–459.

Castelnovo, A., Cavallotti, S., Gambini, O. & D'Agostino, A. (2015). Post-bereavement hallucinatory experiences: A critical overview of population and clinical studies. *Journal of Affective Disorders, 186* (1), 266–274.

Chi, X., Becker, B., Yu, Q., Willeit, P., Jiao, C., Huang, L. et al. (2020). Prevalence and psychosocial correlates of mental health outcomes among Chinese college students during the Coronavirus disease (COVID-19) pandemic. *Frontiers in Psychiatry, 11* (803).

Conversano, C., Di Giuseppe, M., Miccoli, M., Ciacchini, R., Gemignani, A. & Orrù, G. (2020). Mindfulness, age and gender as protective factors against psychological distress during COVID-19 pandemic. *Frontiers in Psychology, 11* (1900).

Csikszentmihalyi, M. & Csikszentmihalyi, I. S. (1992). *Optimal experience. Psychological studies of flow in consciousness*. Oxford University Press.

Dahlsgaard, K. K., Peterson, C. & Seligman, M. E. P. (2005). Shared virtue: The convergence of valued human strengths across culture and history. *Review of General Psychology, 9* (3), 203–213.

Dalai-Lama (2005). *Die Welt in einem einzigen Atom: Meine Reise durch Wissenschaft und Buddhismus*. Theseus.

Deci, E. L. & Ryan, R. M. (2000). The »What« and »Why« of goal pursuits: Human needs and the self-determination of behavior. *Psychological Inquiry, 11*, 227–268.

DeYoung, C. G., Peterson, J. B. & Higgins, D. M. (2002). Higher-order factors of the Big Five predict conformity: Are there neuroses of health? *Personality and Individual Differences, 33* (4), 533–552.

DiBartolo, P. M., Li, C. Y. & Frost, R. O. (2008). How do the dimensions of perfectionism relate to mental health? *Cognitive Therapy and Research 32* (3), 401–417.

Diener, E., Scollon, C. N., Oishi, S., Dzokoto, V. & Suh, E. M. (2000). Positivity and the construction of life satisfaction judgments: Global happiness is not the sum of its parts. *Journal of Happiness Studies, 1* (2), 159–176.

Diener, E. & Seligman, M. E. P. (2002). Very happy people. *Psychological Science, 13* (1), 81–84.

Duckworth, A. L., Steen, T. A. & Seligman, M. E. P. (2005). Positive psychology in clinical practice. *Annual Review of Clinical Psychology, 1* (1), 629–651.

Dunn, E. W., Aknin, L. B. & Norton, M. I. (2008). Spending money on others promotes happiness. *Science, 319*, 1687–1688.

Elliot, A. J. & Sheldon, K. M. (1997). Avoidance achievement motivation: A personal goals analysis. *Journal of Personality and Social Psychology, 73* (1), 171–185.

Emmons, R. A. (1999). *The psychology of ultimate concerns: Motivation and spirituality in personality.* Guilford.

Emmons, R. A. (2003). Personal goals, life meaning, and virtue: Wellsprings of a positive life. In C. L. M. Keyes & J. Haidt (Hrsg.), *Flourishing: Positive psychology and the life well- lived* (S. 105–128). APA.

Emmons, R. A. & McCullough, M. E. (2003). Counting blessings versus burdens: An experimental investigation of gratitude and subjective well-being in daily life. *Journal of Personality and Social Psychology, 84* (2), 377 389.

Ettman, C. K., Abdalla, S. M., Cohen, G. H., Sampson, L., Vivier, P. M. & Galea, S. (2020). Prevalence of depression symptoms in US adults before and during the COVID-19 pandemic. *JAMA Network Open, 3* (9): e2019686.

Feldman Barrett, L. & Gross, J. J. (2001). Emotional intelligence: A process model of emotion representation and regulation. In T. J. Mayne & G. A. Bonnano (Hrsg.), *Emotions: Current issues and future directions* (S. 286–310). Guilford.

Fiorillo, A. & Gorwood, P. (2020). The consequences of the COVID-19 pandemic on mental health and implications for clinical practice. *European Psychiatry, 63* (1), e32, 1–2.

Flannelly, K. J., Ellison, C. G., Galek, K. & Koenig, H. (2008). Beliefs about life-after-death, psychiatric symptomology and cognitive theories of psychopathology. *Journal of Psychology and Theology, 36* (2), 94–103.

Flannelly, K. J., Koenig, H., Ellison, C. G., Galek, K. & Krause, N. (2006). Belief in life after death and mental health. *Journal of Nervous & Mental Disease, 194* (7), 524–529.

Fordyce, M. W. (1977). Development of a program to increase personal happiness. *Journal of Counseling Psychology, 24* (6), 511–521.

Fredrickson, B. L. (2001). The role of positive emotions in Positive psychology. The Broaden- and-Build theory of positive emotions. *American Psychologist, 56* (3), 218–226.

Fredrickson, B. L. (2011). *Positivity. Groundbreaking research to release your inner optimist and thrive*. Oneworld Publications.

Fredrickson, B. L. & Branigan, C. (2005). Positive emotions broaden the scope of attention and thought-action repertories. *Cognition and Emotion, 19* (3), 313–332.

Fredrickson, B. L. & Joiner, T. (2002). Positive emotions trigger upward spirals toward emotional well-being. *Psychological Science, 13* (2), 172–175.

Fredrickson, B. L. & Losada, M. F. (2005). Positive affect and the complex dynamics of human flourishing. *American Psychologist, 60* (7), 678–686.

Fredrickson, B. L., Mancuso, R. A., Branigan, C. & Tugade, M. M. (2000). The undoing effect of positive emotions. *Motivation and Emotion, 24* (4), 237–258.

Frey, B. S. (2008). *Happiness. A revolution in economics*. MIT Press.

Gander, F. & Wagner, L. (2020, September 25*). Character growth following collective life events? A study on perceived and measured changes in character strengths during the first wave of the COVID-19 pandemic*. PsyArxiv.

Greyling, T., Rossouw, S. & Tamanna, A. (2020). A tale of three countries: How did Covid-19 lockdown impact happiness? *GLO Discussion Paper, No. 584*. Global Labor Organization (GLO), Essen.

Gross, J. J., Richards, J. M. & John, O. P. (2006). Emotion regulation in everyday life. In D. K. Snyder, J. Simpson & J. N. Hughes (Hrsg.), *Emotion regulation in couples and families: Pathways to dysfunction and health* (S. 13–35). American Psychological Association.

Güsewell, A. & Ruch, W. (2012). Are only emotional strengths emotional? Character strengths and disposition to positive emotions. *Applied Psychology: Health and Well-Being, 4* (2), 218–239.

Haidt, J. (2006). *The happiness hypothesis. Finding modern truth in ancient wisdom*. Basic Books.

Harding, S. R., Flannelly, K. J., Weaver, A. J. & Costa, K. G. (2005). The influence of religion on death anxiety and death acceptance. *Mental Health, Religion & Culture, 8* (4), 253–261.

Harzer, C. & Ruch, W. (2012). When the job is a calling: The role of applying one's signature strengths at work. *Journal of Positive Psychology, 7,* 362–371.

Israelashvili, J. (2021). More positive emotions during the COVID-19 pandemic are associated with better resilience, especially for those experiencing more negative emotions. *Frontiers in Psychology, 12* (648112).

Iyengar, S. S. & Lepper, M. R. (2000). When choice is demotivating: Can one desire too much of a good thing? *Journal of Personality and Social Psychology, 79* (6), 995–1006.

Jang, K. L., Livesley, W. J. & Vemon, P. A. (1996). Heritability of the Big Five personality dimensions and their facets: A twin study. *Journal of Personality, 64* (3), 577–592.

Javed, S. & Mehmood, Y. (2020). No lockdown for domestic violence during COVID-19: A systematic review for the implication of mental-well being. *Life and Science, 1* (1), 96–101.

Joseph, S. & Lewis, C. A. (1998). The Depression–Happiness Scale: Reliability and validity of a bipolar self-report scale. *Journal of Clinical Psychology, 54* (4), 537–544.

Jourdan, J.-P. (2011). Near death experiences and the 5th dimensional spatio-temporal perspective. *Journal of Cosmology, 14*.

Kashdan, T. B. & Rottenberg, J. (2000). Psychological flexibility as a fundamental aspect of health. *Clinical Psychology Review, 30* (7), 865–878.

Kasser, T. (2004). The good life or the goods life? Positive psychology and personal well-being in the culture of consumption. In P. A. Linley & S. Joseph (Hrsg.), *Positive psychology in practice* (S. 55–67). John Wiley & Sons.

Kasser, T. & Ryan, R. M. (1993). A dark side of the American dream: Correlates of financial success as a central life aspiration. *Journal of Personality and Social Psychology, 65* (2), 410–422.

Kasser, T. & Ryan, R. M. (1996). Further examining the American dream: Differential correlates of intrinsic and extrinsic goals. *Personality and Social Psychology Bulletin, 22* (3), 280–287.

Kasser, T., Ryan, R. M., Zax, M. & Sameroff, A. J. (1995). The relations of maternal and social environments to late adolescents' materialistic and prosocial values. *Developmental Psychology, 31* (6), 907–914.

Keyes, C. L. M. (2002). The Mental Health Continuum: From languishing to flourishing in life. *Journal of Health and Social Behavior, 43* (2), 207–222.

Killingsworth, M. A. & Gilbert, D. T. (2010). A wandering mind is an unhappy mind. *Science, 330* (6006), 932.

Kim-Prieto, C., Diener, E., Tamir, M., Scollon, C. N. & Diener, M. (2005). Integrating the diverse definitions of happiness: A time-sequential framework of subjective well-being. *Journal of Happiness Studies, 6* (3), 261–300.

King, L. A. (2001). The health benefits of writing about life goals. *Personality and Social Psychology Bulletin, 27* (7), 798–807.

Kluwer, E. S., Karremans, J. C., Riedijk, L. & Knee, C. R. (2020). Autonomy in relatedness: How need fulfillment interacts in close relationships. *Personality and Social Psychology Bulletin, 46* (4), 603–616.

Kompaniyets, L., Pennington, A. F., Goodman, A. B., Rosenblum, H. G., Belay, B., Ko, J. Y. et al. (2021). Underlying medical conditions and severe illness among 540,667 adults hospitalized with

COVID-19, March 2020--March 2021. *Preventing Chronic Disease, 18* (210123).

Kroencke, L., Geukes, K., Utesch, T., Kuper, N. & Back, M. D. (2020). Neuroticism and emotional risk during the Covid-19 pandemic. *Journal of Research in Personality*, *89*, 104038.

Lazarus, R. S. (1991). *Emotion and adaptation*. Oxford University Press.

Linley, P. A. & Joseph, S. (2004). Toward a theoretical foundation for positive psychology in practice. In P. A. Linley & S. Joseph (Hrsg.), *Positive psychology in practice* (S. 713–731). John Wiley & Sons.

Liu, S., Lithopoulos, A., Zhang, C.-Q., Garcia-Barrera, M. A. & Rhodes, R. E. (2021). Personality and perceived stress during COVID-19 pandemic: Testing the mediating role of perceived threat and efficacy. *Personality and Individual Differences, 168*, 110351.

Liu, Q. & Wang, Z. (2021). Perceived stress of the COVID-19 pandemic and adolescents' depression symptoms: The moderating role of character strengths. *Personality and Individual Differences, 182* (111062).

Lyubomirsky, S. (2001). Why are some people happier than others? The role of cognitive and motivational processes in well-being. *American Psychologist, 56*, 239–249.

Lyubomirsky, S. (2007). *The how of happiness. A scientific approach to getting the life you want*. Penguin Press.

Lyubomirsky, S., King, L. & Diener, E. (2005). The benefits of frequent positive affect: Does happiness lead to success? *Psychological Bulletin, 131* (6), 803–855.

Lyubomirsky, S. & Lepper, H. S. (1999). A measure of subjective happiness: Preliminary reliability and construct validation. *Social Indicators Research, 46* (2), 137–155.

Lyubomirsky, S. & Ross, L. (1998). Hedonic consequences of social comparison: A contrast of happy and unhappy people. *Journal of Personality and Social Psychology 73* (6), 1141–1157.

Lyubomirsky, S., Sheldon, K. & Schkade, D. (2005). Pursuing happiness: The architecture of sustainable change. *Review of General Psychology, 9* (2), 111–131.

Magyar-Moe, J. L. (2009). *Therapist's guide to positive psychological interventions*. Elsevier.

Mahoney, M. J. (2005). Constructivism and positive psychology. In C. R. Snyder & S. J. Lopez (Hrsg.), *Handbook of positive psychology* (S. 745–750). Oxford University Press.

Myers, D. G. (2000). The funds, friends, and faith of happy people. *American Psychologist, 55* (1), 56–67.

Newby, J. M., O'Moore, K., Tang, S., Christensen, H. & Faasse, K. (2020). Acute mental health responses during the COVID-19 pandemic in Australia. *PLoS ONE 15* (7), e0236562.

Ngô, T. L. (2013). Review of the effects of mindfulness meditation on mental and physical health and its mechanisms of action. *Sante Mentale au Quebec, 38* (2), 19–34.

Niederhoffer, K. G. & Pennebaker, J. W. (2005). Sharing one's story: On the benefits of writing or talking about emotional experience. In C. R. Snyder & S. J. Lopez (Hrsg.), *Handbook of positive psychology* (S. 573–583). Oxford University Press.

Nolen-Hoeksema, S., Wisco, B. E. & Lyubomirsky, S. (2008). Rethinking rumination. *Perspectives on Psychological Science, 3* (5), 400–424.

Oishi, S., Diener, E., Suh, E. & Lucas, R. E. (1999). The value as a moderator model in subjective well-being. *Journal of Personality, 67,* 157–184.

Park, N. & Peterson, C. (2009). Character strengths: Research and practice. *Journal of College and Character, 10* (4), 1–10.

Park, N., Peterson, C. & Seligman, M. E. P. (2004). Strengths of character and well-being. *Journal of Social and Clinical Psychology, 23* (5), 603–619.

Peterson, C., Park, N. & Seligman, M. E. P. (2005). Orientations to happiness and life satisfaction: The full life versus the empty life. *Journal of Happiness Studies, 6* (1), 25–41.

Peterson, C. & Seligman, M. E. P. (2004). *Character strengths and virtues. A handbook and classification.* Oxford University Press.

Planck, M. (1914). *Vorträge über die kinetische Theorie der Materie und der Elektrizität, gehalten in Göttingen auf Einladung der Kommission der Wolfskehlstiftung.* B. G. Teubner.

Planck, M. (1949). *Vorträge und Erinnerungen.* S. Hirzel.

Polizzi, C., Lynn, S. J. & Perry, A. (2020). Stress and coping in the time of COVID-19: Pathways to resilience and recovery. *Clinical Neuropsychiatry, 17* (2), 59–62.

Pradhan, M., Chettri, A. & Maheshwari, S. (2020). Fear of death in the shadow of COVID-19: The mediating role of perceived stress in the relationship between neuroticism and death anxiety. *Death Studies.*

Puente Díaza, R. & Cavazos Arroyo, J. (2017). Material values: A study of some antecedents and consequences. *Contaduría y Administración, 62,* 1214–1227.

Rashid, T. (2015). Positive psychotherapy: A strength-based approach. *The Journal of Positive Psychology, 10* (1), 25–40.

Richman, L. S., Kubzansky, L., Maselko, J., Kawachi, I., Choo, P. & Bauer, M. (2005). Positive emotion and health: Going beyond the negative. *Health Psychology, 24* (4), 422–429.

Roberts, J. A., Manolis, C. & Tanner Jr., J. F. (2008). Interpersonal influence and adolescent materialism and compulsive buying. *Social Influence, 3* (2), 114–131.

Rosenberg, E. L., Ekman, P., Jiang, W., Babyak, M., Coleman, R. E., Hanson, M. et al. (2001). Linkages between facial expressions of anger and transient myocardial ischemia in men with coronary artery disease. *Emotion, 1* (2), 107–115.

Roth, M. & Müller, F. (2020). *Religiöse und spirituelle Praktiken und Glaubensformen in der Schweiz. Erste Ergebnisse der Erhebung zur Sprache, Religion und Kultur 2019.* Forschungsbericht Nr. 1368–1900 des Bundesamtes für Statistik, Neuchâtel.

Rozin, P. & Royzman, E. B. (2001). Negativity bias, negativity dominance, and contagion. *Personality and Social Psychology Review, 5* (4), 296–320.

Ryan, R. M. & Deci, E. L. (2000). Self-determination theory and the facilitation of intrinsic motivation, social development, and well-being. *American Psychologist, 55* (1), 68–78.

Ryan, R. M. & Deci, E. L. (2001). On happiness and human potentials: A review of research on hedonic and eudaimonic well-being. *Annual Review of Psychology, 52*, 141–166.

Sagiv, L., Roccas, S. & Hazan, O. (2004). Value pathways to well-being: Healthy values, valued goal attainment, and environmental congruence. In P. A. Linley & S. Joseph (Hrsg.), *Positive psychology in practice* (S. 68–85). John Wiley & Sons.

Schabus, M. (2021, Februar). Irrationale Ängste lebensbedrohlich an »Corona« zu erkranken. *PLUS aktuell.* Universität Salzburg.

Scherhorn, G. (2007). *Wirtschaftliche Leitbilder und Einstellungen* (Kap. 16). In K. Moser (Hrsg.), *Wirtschaftspsychologie* (S. 309–327). Springer.

Schiffrin, H. H. & Nelson, S. K. (2008). Stressed and happy? Investigating the relationship between happiness and perceived stress. *Journal of Happiness Studies, 11*, 33–39.

Schmid, W. (2007). *Glück. Alles, was Sie darüber wissen müssen, und warum es nicht das Wichtigste im Leben ist*. Insel.

Schmuck, P., Kasser, T. & Ryan, R. M. (2000). Intrinsic and extrinsic goals: Their structure and relationship to well-being in German and U. S. college students. *Social Indicators Research, 50* (2), 225–241.

Schwartz, B. (2000). Self-determination: The tyranny of freedom. *American Psychologist, 55*, 79–88.

Schwartz, B. & Ward, A. (2004). Doing better but feeling worse: The paradox of choice. In P. A. Linley & S. Joseph (Hrsg.), *Positive psychology in practice* (S. 86–104). John Wiley & Sons.

Seligman, M. E. P. (2004). *Authentic Happiness*. Simon & Schuster Ltd.

Seligman, M. E. P., Steen, T. A., Park, N. & Peterson, C. (2005). Positive psychology progress: Empirical validation of interventions. *American Psychologist, 60* (5), 410–421.

Servan-Schreiber, D. (2006). *Die Neue Medizin der Emotionen. Stress, Angst, Depression: Gesund werden ohne Medikamente*. Goldmann.

Sheldon, K. M. & Elliot, A. J. (1999). Goal striving, need satisfaction, and longitudinal well- being: The self-concordance model. *Journal of Personality and Social Psychology, 76* (3), 482–497.

Sheldon, K. M. & Lyubomirsky, S. (2006a). Achieving sustainable gains in happiness: Change your actions, not your circumstances. *Journal of Happiness Studies, 7* (1), 55–86.

Sheldon, K. M. & Lyubomirsky, S. (2006b). How to increase and sustain positive emotion: The effects of expressing gratitude and visualizing best possible selves. *The Journal of Positive Psychology, 1* (2), 73–82.

Sibley, C. G., Greaves, L. M., Satherley, N., Wilson, M. S., Overall, N. C., Lee, C. H. J. et al. (2020). Effects of the COVID-19 pandemic and nationwide lockdown on trust, attitudes toward government, and well-being. *American Psychologist, 75* (5), 618–630.

Sollberger, B. (2006, 13. April). *Buddhism and recent developments in psychology*. Brief an seine Heiligkeit den 14. Dalai-Lama, Institut für Psychologie, Universität Bern.

Sollberger, B. (2007). *Reflecting on self-concordant activities increases happiness: A random- assignment, placebo-controlled study.* Posterpräsentation an der 10. Konferenz der Schweizerischen Gesellschaft für Psychologie, Zürich, 13.–14. September 2007.

Stein, M., Keller, S. E. & Schleifer, D. S. (1988). Immune system: Relationship to anxiety disorders. *Psychiatric Clinics of North America, 11* (2), 349–360.

Steptoe, A., Dockray, S. & Wardle, J. (2009). Positive affect and psychobiological processes relevant to health. *Journal of Personality, 77* (6), 1747–1776.

Stroebe, M., Gergen, M. M., Gergen, K. J. & Stroebe, W. (1992). Broken hearts or broken bonds. Love and death in historical perspective. *American Psychologist, 47* (10), 1205–1212.

Tamiolaki, A. & Kalaitzaki, A. E. (2020). »That which does not kill us, makes us stronger«: COVID-19 and posttraumatic growth. *Psychiatry Research, 289* (113044).

Tsujimura, K. & Buchner, H. (Hrsg.) (2013). *Der Ochs und sein Hirte. Eine altchinesische Zen-Geschichte erläutert von Meister Daizohkutsu R. Ohtsu* (11. Aufl.). Klett-Cotta.

Urry, H. L., Nitschke, J. B., Dolski, I., Jackson, D. C., Dalton, K. M., Mueller, C. J. et al. (2004). Making a life worth living: Neural correlates of well-being. *Psychological Science, 15* (6), 367–372.

Vallerand, R. J. (2008). On the psychology of passion: In search of what makes people's lives most worth living. *Canadian Psychology, 49* (1), 1–13.

Van Boven, L. (2005). Experientialism, materialism, and the pursuit of happiness. *Review of General Psychology, 9* (2), 132–142.

Van Lommel, P., van Wees, R., Meyers, V. & Elfferich, I. (2001). Near-death experience in survivors of cardiac arrest: A prospective study in the Netherlands. *The Lancet, 358* (9298), 2039–2045.

Vazquez, C., Valiente, C., García, F. E., Contreras, A., Peinado, V., Trucharte, A. et al. (2021). Post-Traumatic growth and stress-related responses during the COVID-19 pandemic in a national representative sample: The role of positive core beliefs about the world and others. *Journal of Happiness Studies, 11*, 1–21.

Wallace, B. A. & Shapiro, S. L. (2006). Mental balance and well-being: Building bridges between Buddhism and western psychology. *American Psychologist, 61* (7), 690–701.

Walsch, N. D. (1997). *Gespräche mit Gott. Ein ungewöhnlicher Dialog. Band 1*. Goldmann.

Waterman, A. S. (1990). The relevance of Aristotle's conception of eudaimonia for the psychological study of happiness. *Theoretical & Philosophical Psychology, 10* (1), 39–44.

Watson, D. & Naragon, K. (2009). Positive affectivity: The disposition to experience positive emotional states. In S. J. Lopez & C. R. Snyder (Hrsg.), *The Oxford handbook of positive psychology* (2. Aufl.) (S. 207–215). Oxford University Press.

Werner, K. M., Milyavskaya, M., Foxen-Craft, E. & Koestner, R. (2016). Some goals just feel easier: Self-concordance leads to goal progress through subjective ease, not effort. *Personality and Individual Differences, 96*, 237–242.

Wilberforce Foundation (2020). *New Zealand in 2020. Attitudes, Values and Beliefs amidst COVID-19*. McCrindle.

Wilson, T. D. & Gilbert, D. T. (2005). Affective forecasting: Knowing what to want. *Current Directions in Psychological Science, 14* (3), 131–134.

Wissmath, B., Mast, F. W., Kraus, F. & Weibel, D. (2021). Understanding the psychological impact of the COVID-19 pandemic and containment measures: An empirical model of stress. *PLoS ONE, 16 (7)*, e0254883.

Wrzesniewski, A., McCauley, C., Rozin, P. & Schwartz, B. (1997). Jobs, careers, and callings. People's relations to their work. *Journal of Research in Personality, 31* (1), 21–33.

Zimbardo, P. G. & Boyd, J. N. (1999). Putting time in perspective: A valid, reliable individual- differences metric. *Journal of Personality and Social Psychology, 77* (6), 1271–1288.